Aos meus amados pais com carinho e amor da filha Carolina

Que sejam muito felizes em seu novo lar!

BH, 18/11/03

Conversando com os Espíritos

James Van Praagh

Conversando *com os* Espíritos

13ª Edição

SEXTANTE

Primeiramente publicado nos Estados Unidos sob o título:
Talking to Heaven de James Van Praagh. © James Van Praagh, 1997.
Publicado por acordo com a Dutton Signet, divisão da Penguin Books USA, Inc.

capa
Luciana Melo e Monika Mayer

tradução
Luiz Antonio Aguiar

preparo de originais
Regina da Veiga Pereira

revisão
Sérgio Bellinello Soares

fotolitos
Mergulhar Serviços Editoriais Ltda.

impressão e acabamento
Geográfica e Editora Ltda.

CIP-BRASIL. CATALOGAÇÃO-NA-FONTE
SINDICATO NACIONAL DOS EDITORES DE LIVROS, RJ.

V297c
Van Praagh, James
Conversando com os espíritos : um médium traz mensagens da vida além da morte / James Van Praagh ; [tradução de Luiz Antônio Aguiar]. – Rio de Janeiro : Salamandra, 1998; Sextante, 1998

Tradução de: Talking to heaven
Inclui bibliografia

1. Mediunidade. 2. Espiritismo. I. Título.

98-0070
CDD 133.91
CDU 133.7

Rua Voluntários da Pátria, 45 – Gr. 1404 – Botafogo
22270-000 – Rio de Janeiro – RJ
Tel.: (21) 2286-9944 – Fax: (21) 2286-9244
Central de Atendimento: 0800-22-6306
E-mail: atendimento@esextante.com.br
www.esextante.com.br

Índice

Parte 1
A Revelação

Parte 2
As Sessões

Parte 3
O Próximo Passo

Agradecimentos

Quando alguém assume a tarefa de narrar cronologicamente experiências pessoais, traduzindo a vida em palavras, o faz com a esperança de que esse relato, de alguma forma, estimule o conhecimento e a reflexão, e ajude a iluminar o caminho de outras pessoas. Eu não poderia ter escrito este livro sozinho. O texto foi gerado por uma combinação de pensamentos, idéias, experiências e vidas daqueles que, afetuosamente, me tocaram.

Em primeiro lugar, devo render minha homenagem à *Força da Criação*, identificada sob várias designações, tais como Deus, Alá, Yahweh, Ser Divino e a Grande Luz. Acredito que todas essas designações sejam o Poder, a Origem, a Origem de Tudo.

Gostaria de agradecer às almas bem-amadas deste plano terreno, que vieram a mim com suas histórias tanto de amor quanto de grande tristeza, buscando orientação, conforto, cura e paz. Espero ter correspondido a suas expectativas e ter sido capaz de trazer serenidade a suas mentes e a seus corações.

Agradeço a todos os queridos seres do mundo espiritual que, como sonhos, retornam através de mim, para transmitir suas experiências terrenas a seus familiares e amigos. Essas recordações, agora parte da tapeçaria do tempo, oferecem, além de consolo, a evidência de que não existe morte; apenas vida. Por meio do poder do amor, e apenas do amor, esses espíritos abençoados aproximam-se de nós, trazendo coragem, força, poder, orientação e ajudando cada um a cumprir seu destino na Terra.

Quero agradecer a meus guias espirituais e mestres, que vêm me acompanhando desde que esse dom brotou em mim. Eles nunca deixaram de incorporar sua força, poder e sabedoria ao meu trabalho, oferecendo-me um exemplo de crescimento, luz e elevação, válido para toda a humanidade.

Quero expressar também minha gratidão para com os que,

neste plano terreno, têm me assistido ao longo do caminho, com amor, estímulo e apoio: Brian E. Hurst, Carol Shoemaker, Mary Ann Saxon, Marilyn Jensen, Peter Redgrove, Linda Tomchin e Cammy Farone.

A minha família, amigos e pessoas queridas desta existência, quero dizer que dia a dia cresce em mim a gratidão que sinto em relação a todos vocês. O tempo que compartilhamos nesta terra não apenas enriqueceu minha alma, mas também ensinou-me lições valiosas no que diz respeito à capacidade do coração humano de expressar seus sentimentos. O amor é a celebração da vida. Agradeço a vocês, portanto, por serem a celebração do que fomos, do que somos e do que seremos.

Agradeço a todos, enfim, por dividirem comigo sua luz, e por podermos trilhar essa eterna jornada de amor e vida de mãos dadas.

Para Connie, o primeiro anjo que encontrei na Terra, e que me ensinou como alcançar o Sol.

Parte 1

A Revelação

Capítulo 1

O Médium

Freqüentemente me perguntam se nasci com o dom da mediunidade ou se me transformei em médium por causa de alguma enfermidade muito grave, ou de um acidente que tenha provocado algum tipo de lesão em minha cabeça, ou, ainda, de uma experiência de *quase-morte*. Por mais impressionantes que possam parecer essas possibilidades, não credito a nenhuma delas os momentos impressionantes que me iniciaram no trabalho de minha vida.

Não sou diferente das outras pessoas. Todos nascemos com algum nível de capacidade psíquica. A pergunta é: sabemos reconhecê-la? Sabemos desenvolvê-la? Como muitas outras pessoas, eu desconhecia o que significava possuir *capacidade psíquica*. Provavelmente, a primeira vez que tive contato com o termo *psíquico* foi assistindo a um *show* na tevê. Já não foi fácil pronunciar a palavra, quanto mais compreender seu significado. Era uma palavra que se aproximava bastante da explicação que eu procurava para certos fenômenos. Por exemplo: por que *adivinhava* coisas a respeito de pessoas que entravam no ambiente onde eu estava? E essa palavra foi a *causa* também de uma professora, na minha escola primária – um colégio católico –, ter me retido depois da aula.

O intervalo para o almoço havia terminado e todos os garotos já retornavam para a sala de aula. Eu havia acabado de guardar minha lancheira, com a figura de um ursinho gravada em sua tampa, quando minha professora, Mrs. Weinlick, entrou na classe. Nossos olhos encontraram-se e um sentimento de súbita tristeza tomou conta de mim. Então, aproximei-me dela e disse:

– Tudo vai ficar bem! John quebrou a perna.

Ela olhou para mim, espantada, e disse:

– Do que é que você está falando?

Eu expliquei:

– John foi atropelado, mas está bem. Apenas quebrou a perna.

Bem, achei que seus olhos iam saltar do rosto. Ela apontou para meu lugar e me mandou ficar ali, sem me levantar, pelo resto do dia. Mais ou menos uma hora depois, o diretor da escola chegou à porta e chamou Mrs. Weinlick. Sussurrou-lhe alguma coisa e, de repente, ela entrou em pânico, empalideceu, e saiu correndo da sala, gritando.

No dia seguinte, Mrs. Weinlick parecia ter voltado ao normal. Mas ficou me encarando o tempo todo. Ela me pediu que ficasse depois da aula, para podermos conversar. Deus a abençoe. Foi aquela conversa que me revelou minha capacidade psíquica. Ao que parece, no dia anterior, seu filho, John, havia sido de fato atropelado, mas, milagrosamente, apenas quebrou a perna. Mrs. Weinlick perguntou-me:

– Como você já sabia o que ia acontecer?

Não consegui responder. Eu apenas... sabia. Foi um pressentimento, eu acho, uma sensação. Ela fixou seus olhos em mim e eu comecei a chorar. *Teria eu provocado o acidente que ferira seu filho?*

Bem, nem é preciso dizer que ela me tranqüilizou, dizendo que não me preocupasse.

– Muitas crianças e até mesmo alguns adultos ficam sabendo das coisas antes de acontecerem. Você é um mensageiro de Deus – ela disse, e também que Deus havia me concedido um dom... – Para, um dia, você poder ajudar outras pessoas. Você é muito, muito especial.

Mrs. Weinlick falou para nunca me deixar perturbar pelas coisas que conseguisse *enxergar* dentro da minha mente. Mas alertou-me para ter cuidado e escolher bem com quem compartilhar esse meu dom.

Essa foi a primeira explicação que recebi sobre capacidade psíquica. Hoje, quando olho para trás, sinto-me grato a Mrs. Weinlick. De diversas maneiras, aquilo representou muito para mim. Se minha professora, ali, fosse uma freira, minha vida poderia ter seguido um rumo totalmente diferente.

Hoje, compreendo perfeitamente minha capacidade de ver e de sentir coisas que não estão no mundo físico. Geralmente, referem-se a isso como um *sexto sentido.* Capacidade psíquica também é conhecida como *intuição, algo que bate lá dentro, palpite,* ou uma certa *percepção* das coisas. Todos fazemos uso dessa capacidade diariamente, sem mesmo nos apercebermos disso. Por exemplo, quantas vezes acontece de você pensar em alguém e, poucos minutos depois, tocar o telefone – e é justamente aquela pessoa, no outro lado da linha? Ou quando lhe vem à cabeça que é melhor trocar de pista, no trânsito, e logo você descobre que havia um acidente bem na pista da qual saiu? Talvez, no caminho para o trabalho, você tenha a sensação de que seu patrão vai estar em um mau dia e, quando chega, isso se confirma. Quantas vezes já ocorreu de estar pensando em uma música e, um instante depois, ela começar a tocar no rádio? Esses são exemplos de capacidade psíquica. De onde vem esse sexto sentido? Em grego, a palavra *psíquico* quer dizer *da alma.* Quando utilizamos nossa capacidade psíquica, estamos nos sintonizando com a energia de nossa alma, ou com a força vital que habita todo ser vivo.

Quando crianças, temos mais capacidade psíquica do que quando adultos. Ou, pelo menos, se não mais capacidade, pelo menos maior abertura para nossos poderes psíquicos. E isso não apenas por ainda nos encontrarmos próximos do outro lado da vida, mas também porque nossa habilidade com as palavras e com os pensamentos encontra-se pouco desenvolvida; assim, precisamos confiar em nossos sentimentos, ou nas sensações, para nos relacionarmos com o mundo físico.

Todos já vimos um bebê começar a chorar quando pego no colo por uma pessoa, e parar imediatamente quando outra o pega. Com toda certeza, o bebê está captando uma vibração mais harmoniosa, ou mais segura, com a segunda pessoa. É por isso que os bebês sempre querem suas mães. Existe um elo psíquico muito forte entre a mãe e o seu bebê. Quantas vezes uma mãe corre para o quarto de seu bebê, sabendo que ele precisará dela assim que acordar. Esse elo se intensifica, torna-se cada vez mais forte, e logo a mãe se aperceberá de cada necessidade de seu bebê sem que ele precise emitir nenhum som.

A capacidade psíquica também atua no mundo vegetal e no animal. As plantas são extremamente sensitivas e geralmente vicejam lindamente quando sentem em torno um ambiente gentil e amistoso, no qual são cuidadas e amadas.

Isso me lembra uma história muito interessante. Eu trabalhava em um emprego de horário integral. Certo dia, dei carona a uma colega de trabalho. Quando entrei em seu apartamento, sentei-me, e então escutei um ruído, algo que ia crescendo cada vez mais. Na verdade, era uma vibração à minha volta, como se fosse o grito de alguém ferido, pedindo ajuda. Olhei ao redor e finalmente me dei conta do que era. Todas as plantas no apartamento estavam secas, morrendo. Estavam implorando por um pouco de água. Contei isso a minha colega e ela me disse que, de fato, não aguava as plantas havia duas semanas.

A idéia de plantas gritando pode parecer estranha para muitas pessoas. Para essas, sugiro que leiam livros sobre o assunto, como *A vida secreta das plantas,* de Peter Tomkins. Precisamos nos conscientizar de que a mágica da VIDA acontece de todas as maneiras, formas e tamanhos... até mesmo com as plantas. Podemos aprender mais sobre essas formas de vida, se dedicarmos algum tempo a escutar, a abrir nossa capacidade psíquica às energias que nos rodeiam.

Também os animais são conhecidos por contarem com seu *sexto sentido.* Observe o comportamento de seu cachorrinho ou do seu gato. Quantas vezes já viram um cachorro esconder-se, ou latir sem cessar, quando encontra determinada pessoa? E não é verdade que, passeando em um ambiente cheio de pessoas, ele às vezes demora-se mais junto a alguém? Quando ocorrem catástrofes naturais – terremotos, tornados, furacões –, um animal torna-se irrequieto, desorientado e freqüentemente esconde-se dentro de um armário ou debaixo de algum móvel. Os animais não recebem informações da tevê, como nós. Simplesmente *sabem* das coisas. Muitas vezes, são capazes de prever um desastre. São extremamente sensíveis à ansiedade nos seres humanos. Se você quer saber que tempo vai fazer, observe um rebanho de gado. Antes da tempestade, geralmente encontramos as vacas deitadas na grama. Desde a Criação, os animais sempre contaram com seu sentido psíquico, ou com seu *instinto*, para se protegerem, para preservarem a vida.

QUERO VER DEUS COM MEUS PRÓPRIOS OLHOS

Muito antes de eu começar a pensar em minha habilidade psíquica, costumava questionar-me a respeito da existência de Deus. Fui criado como católico e, nos nove primeiros anos de minha formação, cursei uma escola católica. No entanto, acabei considerando a visão católica de Deus muito limitada e mesmo fantasiosa. Tínhamos de acreditar às cegas em uma divindade, e isso acabava me confundindo completamente. Era perseguido por perguntas, tais como: Como saber se Deus existe de verdade? Alguém já viu Deus, algum dia? Como é que Deus cria as coisas do nada? Quem escreveu as histórias da Bíblia? Será que elas contam a verdade?.

Quanto mais eu tentava acreditar em Deus, conforme Ele fora moldado pelos rituais e leis da Igreja, menos eu sentia Deus dentro de mim – quero dizer, como se fosse uma experiência minha, pessoal. *Será que tudo se resumia a viver o dia-a-dia desses cerimoniais?* Sempre senti como se tivesse perdido uma peça do quebra-cabeças. “Será que as freiras escondiam alguma coisa de mim? Será que deixei de entender algo na missa, que todos os demais presentes compreenderam sem problemas? Será que eu era o único a duvidar de suas crenças?” Em minha jovem consciência, a questão era muito, muito simples: “Se Deus existe, quero uma prova!”

Minhas preces foram atendidas quando eu tinha oito anos de idade. Ainda estava deitado na cama, em uma manhã bem cedo, quando senti uma espécie de sopro de vento frio roçar minha face. Puxei os cobertores, enrolei-me neles e olhei na direção da janela do meu quarto. Estava fechada, e bem fechada. Comecei a tentar entender como algum vento poderia ter entrado ali. Olhei para cima, para o teto... e vi uma enorme mão, espalmada para baixo, descendo sobre mim. A mão brilhava – uma luz pulsante, muito branca. Fiquei hipnotizado, mas, talvez porque fosse apenas uma criança, não senti medo algum. Mesmo assim não conseguia entender o que estava acontecendo. Estava totalmente disposto a aceitar a imagem que via como algo real. Fui subitamente tomado por uma irresistível sensação de paz, de amor e de alegria. Não escutei nenhuma voz retumbante (como a voz de Deus era descrita na Bíblia), resolvendo minhas dúvidas e revelando meu destino. E, mesmo assim, sabia o tempo todo que aquela visão era Deus. Desde aquele momento, fiquei convencido de que deveria fazer de tudo para experimentar de novo aquela maravilhosa sensação de felicidade. Comecei a entender que havia muito mais na vida do que me ensinaram e do que eu podia enxergar com meus olhos.

A mão iluminada de Deus foi minha primeira experiência com a clarividência e, apesar da fortíssima impressão que tive e de todo o impacto que representou, jamais contei nada a ninguém. Senti como se aquilo fosse meu segredo, e que, se ousasse contar o que sucedera, ninguém acreditaria em mim. Tempos depois, aprenderia mais sobre a clarividência, algo que *imprime* na mente imagens de diversos gêneros, contornos, cenas, vultos espirituais, faces e mesmo locais remotos, invisíveis para o olhar físico. Por exemplo, antes de adormecer, à noite, diversas formas, faces e cenários são enxergados e *passam* por nosso *olhar mental.* A clarividência é algo semelhante a enxergar essas imagens, em nossa mente. Vou explicar melhor o que é a clarividência no capítulo 2.

UMA *SESSÃO* NO COMEÇO DA NOITE DE UM SÁBADO

A aparição da mão divina foi tudo o que eu precisava para me convencer da existência de Deus. Fora uma demonstração e tanto porque, afinal de contas, somente Deus poderia manifestar-se em pleno ar. No entanto, toda uma série nova de perguntas como que pipocou na minha mente. Tornei-me fascinado pelo conceito de morte e pelo que aconteceria depois de morrermos. Peguei-me perguntando-me: "E se...?" – e minha imaginação começava a funcionar. "Será que existe um lugar para onde vamos depois da morte? Existe realmente um céu e um inferno, e o tal lugar entre um e outro? A vida tem um fim?" Tudo o que sabia era o que haviam me ensinado na escola católica – noções demasiadamente comprometidas com a doutrina. Eu queria entender, saber mais, investigar mais a fundo. Mal sabia que uma pequena aventura sobrenatural estava reservada para mim, e para muito breve.

Scott e eu éramos grandes amigos. Jogávamos bola, brincávamos juntos, experimentando muitos jogos. Inclusive os joguinhos paranormais mais comuns, que parecem fazer parte da história de todos os garotos. De brincadeira, fazíamos perguntas à Bola Oito Mágica[1], mas nossos sorrisos logo se apagavam, quando surgiam respostas como *Algo Obscuro Está Tentando Aparecer*... ou... *Tente Outra Vez Mais Tarde*... Como é que *a coisa* poderia saber? Contatávamos espíritos numa Tábua Ouija[2], embora cada um de nós, secretamente, acreditasse que o outro estivesse puxando a prancheta. Assim, pareceu muito natural que, em certa manhã de sábado, decidíssemos fazer uma *sessão* às sete horas daquela noite. Sete horas era o mais próximo da *hora das bruxas* – meia-noite – que uma criança de doze anos ousaria chegar.

Notas do Tradutor

1 Algo equivalente ao tão popular entre nós *jogo do copo*.

2 Uma tábua utilizada como uma prancheta com o alfabeto ou outros símbolos ou sinais, com o propósito de captar mensagens espirituais ou telepáticas.

Relembro vividamente aquele dia. Parece que devo revivê-lo sempre e sempre. Visões como as que eu assistia nos filmes com Vincent Price riscavam minha mente. De alguma maneira, eu *sabia* que aquela noite seria muito especial – algo grandioso estava para acontecer. Às seis e quarenta e cinco, já estava ansioso demais para conseguir esperar. Duas horas mais cedo, havia providenciado uma vela branca. Julguei que precisaria dela para conduzir uma sessão da maneira adequada. Corri para casa do Scott em tempo recorde. Entreguei-lhe a vela, que ele acendeu e, com toda solenidade, colocou no centro de um cinzeiro em uma mesa posicionada entre nós dois. Fechamos as janelas, apagamos as luzes, sentamos encarando um ao outro e esperamos. Ambos nos sentíamos um tanto nervosos, apesar de estarmos certos de que tudo não passava de uma brincadeira. A atmosfera não podia ser mais apropriada – algo fantasmagórica. A vela produzia estranhas sombras nas paredes em volta, e as chamas refletiam-se em nossas faces, com uma espécie de brilho algo assustador. Naturalmente, o melhor da brincadeira era ver quem ficaria apavorado primeiro e fugiria em disparada.

Por trinta minutos, permanecemos sentados em silêncio. Finalmente, eu já não agüentava mais esperar.

– E agora? – perguntei, impaciente.

Scott deu de ombros:

– Quem sabe a gente deveria pedir para falar com alguém?

Era o primeiro aniversário da morte de Janis Joplin, e assim Scott sugeriu que a chamássemos. Entoamos nosso chamado por aproximadamente dez minutos. Aguardamos... Nada aconteceu. Chamamos Janis de novo. A chama da vela permanecia firme. Não ouvimos nenhuma batida misteriosa na porta. Nossos olhos não paravam de percorrer o quarto, buscando qualquer movimento, qualquer sinal de que Janis havia chegado. Mas, acima de tudo, éramos dois garotos de doze anos começando a ficar entediados.

Decidi tentar um último apelo:

– Janis, se você está neste quarto, nos mande um sinal... faça algo com a vela. – E disse isso com minha voz mais profunda, mais melodramática.

A vela estremeceu levemente. Subitamente, a chama inclinou-se para a esquerda e ficou assim por um segundo. Então, moveu-se para a direita e ali permaneceu. Scott e eu ficamos paralisados. A chama da vela começou claramente a mover-se de um lado para o outro. Perdemos a respiração. Qualquer coisa podia estar movendo a chama daquela vela – mas não era eu nem meu amigo, isso com certeza. Estávamos aterrorizados demais para tentar qualquer gracinha. De repente, a vela apagou-se e o quarto mergulhou em escuridão absoluta. Abandonando qualquer pretensão de coragem, saímos correndo dali, berrando, em direção ao quarto dos pais de Scott.

Será que fizemos contato com Janis Joplin? Quem há de saber? Acredito de verdade que abrimos a porta para alguma coisa ou para alguém, proveniente do mundo psíquico. No entanto, acho tremendamente irônico o fato de que o que começou como uma brincadeira de dois garotos tenha, de alguma maneira, significado minha iniciação naquilo que haveria de tornar-se minha carreira.

OUTROS FENÔMENOS PSÍQUICOS

Recordando outros fatos em minha infância, constato que tive muitas experiências peculiares, provocadas por forças que não pertenciam a este mundo. Acho que aquela minha sessão com Scott foi a mais significativa, embora algo macabra. Mas foi somente um acontecimento entre muitos que, como só fui entender mais tarde, de forma clara anunciavam toda uma vida de envolvimento com espiritualismo, suspense e mistério. A profissão de fé da minha vida foi sempre: O DESCONHECIDO É APENAS ALGUMA COISA AINDA NÃO REVELADA. Sempre foi parte da minha natureza investigar o inexplicável e descobrir meios de desvendá-lo. Portanto, minha curiosidade me levaria – e com certa freqüência – a situações que até mesmo os anjos teriam algum receio de desafiar. Como criança, sempre persegui toda uma variedade de jogos e de brincadeiras, de assuntos para estudo ou para entretenimento, guiado por uma necessidade de explorar minha fascinação pelo mundo oculto. Duas de minhas obsessões eram casas assombradas e cemitérios.

A simples idéia de uma casa que supostamente abrigasse formas de vida invisível, vagando pelos seus aposentos, intrigava-me poderosamente. O detetive que existia em minha natureza tomava conta de mim, e eu não teria descanso até resolver o mistério com que me deparava.

A Casa Bell foi um desses mistérios. Já a visão da casa era ameaçadora. Sua pintura estava toda lascada – um cinza algo antigo recobrindo as paredes. E as venezianas, com grandes rombos, mal se sustentando presas às estruturas das janelas. A Casa Bell esteve *viva* em um tempo já esquecido, quando cavalos e carruagens dominavam as ruas e o gado pastava nos campos. A casa era uma visão agourenta, elevando-se atrás de enormes árvores, bem distante da rua.

Aos meus olhos infantis, parecia que as saliências de seu telhado, muito agudas, penetravam diretamente no reino dos céus. A casa esteve abandonada por mais de cinqüenta anos, mas permaneceu como uma espécie de marco em meu caminho, na ida e na volta da escola. Lembro que todos nós corríamos o mais que podíamos, quando passávamos em frente, por causa de todas as histórias que sabíamos a respeito da casa. Havia, por exemplo, uma sobre uma senhora de cabelos brancos, cujos lamentos inconsoláveis podiam ser escutados percorrendo os ambientes abandonados do prédio.

A história contava que essa senhora tinha um filho que se dedicava ao comércio marítimo. Depois de muitos meses sem fazer nada em casa, ela insistiu com o filho para que ele partisse em mais uma viagem de negócios. A contragosto, o filho embarcou e nunca mais foi visto. Ao que parece, uma súbita mudança no tempo pegou o navio em cheio, uma espécie de vendaval violentíssimo, que o destruiu. A mãe, entretanto, nunca aceitou essa explicação – pensava que o filho havia fugido dela, abandonando-a. Depois disso, foi vista muitas vezes vagando pelos aposentos da mansão, procurando pelo filho e gritando de desespero, durante a noite.

Vez por outra, deixava uma vela acesa, na esperança de que seu filho a enxergasse e que a chama o guiasse de volta para casa. Bem, mas o pior ainda não era isso... Todos os garotos sabiam que, se nos voltássemos na direção da casa distraidamente e, por azar, cruzássemos com os olhos da tal senhora, ela viria ao nosso quarto, à noite, enquanto dormíssemos, e nos levaria embora para a Casa Bell, onde estaríamos condenados a ficar prisioneiros para sempre.

Meus amigos e eu jamais esquecíamos dessa parte da história. Mesmo que não fosse verdade, acrescentava certa excitação ao nosso caminho para a escola, que de outra forma seria bastante monótono. Quando fiquei um pouco mais velho, talvez com a idade em torno de dez ou onze anos, pus de lado toda a lenda em torno da velha senhora e de seu filho, mas a casa continuava, mesmo assim, a me fascinar. Costumava parar em frente a ela e olhar para a janela do segundo andar, com a esperança de ver um brilho qualquer que pudesse ser atribuído a uma vela acesa, ou de ouvir quase imperceptíveis e vagos murmúrios chorosos vindos de lá. Definitivamente, havia algo naquela casa. Eu sabia disso. Parecia estar me chamando, e eu precisava responder a esse chamado.

Um dia, foi o que fiz. Aquele que seria o cúmplice de minha iniciação mística, meu amigo Scott, e mais uma dupla de bravas almas da vizinhança decidiram seguir-me na aventura. De alguma forma, precisávamos descobrir como entrar na casa. Chegamos à conclusão de que a melhor maneira era pela parte de trás, praticamente soterrada pelas árvores. Não havia cerca para nos entravar o caminho. Assim, entrar ficou ainda mais fácil do que parecia. Depois de conseguirmos vencer a barreira das árvores, nossos olhos fixaram-se numa casa de madeira, decrépita e semidestruída. A fortaleza, que fora objeto de tantas histórias assustadoras, e mesmo horrendas, pareceu-nos apenas uma montanha de madeira apodrecida e de armações de cimento já corroídas.

Como se a sorte nos protegesse, havia uma janela vedada por tábuas, na parte de trás. Um dos garotos ficou de guarda e os demais conseguiram arrancar uma tábua da janela. Um facho de luz do sol penetrou numa escuridão de já um século. Com todo cuidado, rastejamos para dentro da casa. O piso, à primeira vista, havia sido praticamente destroçado pelo tempo. No que me pus de pé naquele ambiente senti um calafrio. No entanto, em vez de sentir-me amedrontado ou mesmo ameaçado, como poderia esperar, fui invadido por sensações de prazer e alegria. Olhei em volta. Encontrava-me no que parecia ser uma ampla sala de recepções, mais comprida do que larga. As paredes ainda recendiam à chuva do dia anterior, e tiras de papel de parede de um rosa absolutamente desbotado pendiam despregadas. Havia enormes buracos em certos trechos das paredes, feitas de placas de madeira. Caminhando pela sala, tive a estranha sensação de que, naquele lugar, aconteciam jantares com dança. Podia quase ver as pessoas rodopiando à minha volta. Em um dos cantos da sala larga, imaginei uma pequena orquestra tocando para os convidados até as primeiras horas da manhã. Continuei a andar, dirigindo-me diretamente a uma sala contígua, no extremo mais distante. Muito provavelmente, era uma sala de jantar grande o bastante para acomodar um bom número de pessoas. Podia ver a mesa do banquete, servida com as mais finas iguarias. Sobre a mesa, o candeeiro, iluminando a refeição noturna. Subitamente, fui arrancado de meus devaneios pelo berro de meu amigo Kevin.

– Minha nossa! olha só essa coisa! – ele gritou.

Quando cheguei até onde ele estava, vi o que havia lhe provocado tanta excitação. Espalhados pelo chão, estavam vários livros e fotografias, de todos os formatos e tamanhos. Muitos dos livros eram sobre comércio, negócios e assuntos do mar. Diversos outros eram volumes de contabilidade, contendo números e contas feitas a lápis. Quando vimos aqueles livros sobre navios e navegação, ficamos pálidos – todos, ao mesmo tempo. E, em um movimento conjunto, nos voltamos para a porta, procurando o meio mais rápido de escaparmos dali. Abruptamente, e de maneira absurdamente vívida, lembramos da nossa infância, das histórias sobre o filho navegante e sua mãe. *Teria sido verdade, afinal de contas?* Ficamos apavorados, só de pensar no que poderia acontecer conosco. *E se o lugar fosse de fato assombrado e se fantasmas habitassem os corredores?* Não sei se foi apenas pose de garoto, mas nem eu nem qualquer um de nós estava disposto a demonstrar o medo que sentia. Decidimos ficar bastante próximos uns dos outros e assim investigarmos tudo ao redor.

Peguei do chão duas fotografias e as examinei. Uma era a foto de um bebê, e a outra, a de dois garotos bem-vestidos. Tudo levava a crer que fossem irmãos. Enquanto segurava a fotografia, tive a sensação de que alguém estava de pé às minhas costas. Você deve saber como é... a gente praticamente sente que alguém está se aproximando por trás. Foi isso mesmo o que eu senti. Amedrontado, imediatamente larguei a foto. "É a senhora de cabelos brancos vindo me pegar!" Devagar, voltei a cabeça para poder olhar e não enxerguei absolutamente nada. "Deve ter sido minha imaginação."

Foi então que a coisa mais estranha aconteceu. De repente, me veio à cabeça o pensamento de andar até o canto daquele cômodo e apanhar a fotografia junto à parede. Assim, caminhei até lá, inclinei-me e peguei a foto do chão. Encarando-me fixamente, lá estava uma senhora elegantíssima, trajando um longo vestido escuro e segurando um belo buquê de flores. Ela tinha no rosto uma expressão inacreditavelmente doce e um par de olhos penetrantes, que pareciam fitar-me. Seu cabelo estava amarrado com um laço. Aproximei ainda mais a fotografia dos olhos, e foi então que tive a sensação de que aquela era a mãe dos dois garotos, os das outras fotos. Não sei explicar exatamente como sabia disso, mas sabia. Voltei-me para o chão e vi a fotografia de um homem de bigode, os braços cruzados e o olhar fixo à sua frente. Peguei essa foto também e, ao segurá-la, me dei conta de que ele era o marido daquela senhora. Tive também a sensação de saber que aquela era uma família que costumava promover oportunidades para se divertir, freqüentemente. Deveria ter sido uma família muito rica, e mesmo influente, na região. Vendo outras fotos deles, intuí que tinham alguma ligação com política. Não fui capaz de explicar meus sentimentos e sensações aos meus amigos, e todos pensaram que eu estivesse maluco ou que possuía uma imaginação e tanto. Mas eu sabia que uma força de alguma natureza havia me empurrado para aquele canto do quarto. O que teria sido? Como eu poderia saber que aquela família em particular gostava tanto de festas, ou que tinha participação na política? Será que isso estava sendo contado para mim pelos fantasmas que ainda vagavam pelos corredores? Será que a historinha sobre a senhora de cabelos brancos e seu filho navegante era verdadeira?

Três anos mais tarde, encontrei todas as respostas. Nunca esquecerei. Estava em casa, e o correio havia acabado de chegar. Havia um livreto publicado pela Sociedade Histórica de Bayside, intitulado *Bayside, ontem e hoje*. O livro contava como a região fora primeiramente habitada por índios, depois pelos holandeses e finalmente pelos comerciantes britânicos. No entanto, a leitura só despertou meu interesse quando chegou à parte em que contava a história da Casa Bell.

Abraham Bell, um rico comerciante marítimo, teria adquirido três acres de terra, onde ergueu a propriedade para sua família, em 1849. Sua família era algo numerosa e incluía dois filhos, de idade muito próxima. Foi um dos primeiros assentamentos em Bayside. Continuei a ler... Os Bell eram parte da elite, da alta sociedade, e promoviam freqüentes recepções para autoridades vindas de Nova York e para políticos de Washington. Fascinado, fui em frente e, quando virei a página seguinte, meus olhos se arregalaram. Encarando-me lá das fotos estavam o Senhor e a Senhora Bell – exatamente os mesmos que havia visto nas fotos que tive em minhas mãos, anos antes! Eram a confirmação das sensações que me acometeram durante aquela visita.

Outra de minhas experiências místicas, também ocorrida nessa idade – em torno dos dez, onze anos –, foi durante o intervalo para o almoço, na escola. Ficávamos entediados, querendo fazer alguma coisa diferente, em vez de jogar bola como sempre, ou de pular corda com as meninas. Alguns dos garotos mais audaciosos costumavam dar um pulo na cidade para ver o que conseguiam roubar em um supermercado sem serem pegos. Quando retornavam à escola, à tarde, expunham seu butim muito orgulhosos – geralmente, nada mais do que canetas, réguas e marcadores de livros. (Grande atividade extracurricular para estudantes de uma escola católica!)

Mas como eu não era nem ousado, nem muito menos ladrão, fazia o que julgava de fato um programa excepcional. Ia com um grupo de amigos para o Cemitério Lawrence. Era um cemitério de família, instalado no começo dos anos 1800. Desde então, tornara-se um monumento histórico. Em um desses almoços no cemitério, tive uma experiência curiosa e muito interessante. Dois de meus colegas e eu terminávamos nosso almoço debaixo de uma árvore. Estávamos contentes, aproveitando o sol, o calor de um belo dia de primavera, na tranqüilidade daquele cemitério e até mesmo considerando a idéia de matar a aula, no resto do dia. Nós nos encontrávamos, justamente, discutindo a questão, quando escutamos dois garotos rindo, mais ou menos próximos. Olhamos na direção de onde vinham os risos, mas não vimos nada. Achamos que, provavelmente, seriam dois garotos em um jardim dos fundos de alguma casa nas redondezas e que suas vozes deveriam ter ecoado até onde estávamos. Entretanto, mal nos sentimos aliviados por essa explicação, a risada ressoou novamente. Dessa vez, começamos a estranhar. Creio que sentimos até mesmo um pouco de medo. Decidimos investigar para ver de onde vinha. Caminhamos, seguindo o som e, mais uma vez, ouvimos risadas de crianças. Ainda não conseguíamos ver nada e, de certa maneira, relutávamos em prosseguir caminhando.

Quando chegamos mais perto, meu amigo Peter gritou:

– Olha ali!

Vimos duas crianças pequenas – um garoto e uma garota – muito parecidas uma com a outra. Deviam ter cerca de cinco ou seis anos. Avançamos um pouco mais, e elas correram, sumiram. Não conseguimos encontrá-las. Essa foi a parte estranha... Já havíamos visitado o cemitério diversas vezes. Era difícil esbarrar com quem quer que fosse por ali, quanto mais com duas crianças tão pequenas.

Concluímos que o melhor era voltar para a escola. Quando nos viramos, já indo embora, meu amigo Tim berrou:

– Olha lá!

Ele estava olhando fixamente para alguma coisa. Era um túmulo, com o nome de duas crianças – um irmão e uma irmã, que haviam morrido com quatro e cinco anos de idade! *Foi uma aparição?* Honestamente, não sei, mas meus amigos nunca mais quiseram falar no assunto.

Essas experiências poderiam ter me mostrado qual seria meu futuro, se fosse capaz de compreendê-las, naquela época. Mas, como todo garoto da minha idade, o que eu realmente queria da vida era possuir um álbum completo com as figurinhas dos astros da liga de beisebol e saber lançar uma bola melhor do que ninguém.

CRESCENDO NUMA ESCOLA CATÓLICA

Entre uma e outra divertida excursão a casas assombradas e cemitérios, eu freqüentava a escola católica do Sagrado Coração. Como muitas outras crianças da minha idade, nunca entendi direito o conceito de Deus. Pensava que Deus fosse um sujeito bondoso com uma enorme barba e que amava a todos nós. Mas, se fizéssemos alguma coisa errada, ele passaria a nos odiar e nos poria a queimar no inferno, de castigo. Um bocado assustador para uma criança, não acham? Lembro de vezes em que me sentava dentro da igreja e olhava para cima, para o mural que ficava por sobre o altar. Era bonito, uma imagem singela de Cristo sorrindo, olhando para baixo – para o planeta Terra. Lembro que ficava pensando: "Como é que alguém assim pode jogar a gente no inferno?"

Outra coisa que nos ensinavam era que, se rezássemos direito, Deus escutaria nossas preces e nos responderia. Bem, não me lembro de ter tido nenhuma das minhas orações respondidas. Não podia entender com exatidão a concepção da coisa... Como toda criança, fazia muitas perguntas a respeito de Deus e obtinha pouquíssimas respostas. E as que recebia não conseguiam de fato responder à pergunta que eu havia feito – pelo contrário, provocavam mais e mais dúvidas. Por exemplo, as freiras da escola vestiam hábitos pretos, ressaltados por toucas brancas. Na primeira vez em que vi uma freira com aquela vestimenta, fiquei com medo de ir à escola. Aquelas senhoras não se pareciam nada com o que eu imaginava como *esposas de Deus*, ainda mais vestidas inteiramente de preto. Quando eu perguntava: "Por que vocês se vestem de preto?", não recebia nenhuma resposta.

Desde muito cedo, tinha dúvidas a respeito do Paraíso. Apesar de imaginar o céu, com seus portais aperolados, anjos com asas e tudo o mais, sabia que era mais do que isso. Sabia que, quando íamos para o céu, veríamos de novo os amigos e parentes mortos antes de nós. As freiras também diziam que reencontraríamos todos os nossos entes queridos no Paraíso, mas falavam deles como *almas*. Nunca compreendi o que seria uma *alma*. Sabia que as pessoas habitavam o Paraíso, mas, se era assim, onde viviam suas almas? Será que as almas eram parte delas? Esse tipo de pergunta igualmente incomodava as freiras. Infelizmente, sua resposta-padrão era: "Cale a boca e pare de fazer tantas perguntas!" Ao que elas acrescentavam: "Algum dia, você descobrirá para onde vão as almas, e então irá desejar jamais ter feito essa pergunta." Imagino que estavam me dizendo que eu só descobriria a resposta quando morresse.

Lembro um incidente, ocorrido quando eu estava no segundo ano, que me fez questionar ainda mais o que era Deus. Não tinha um lápis da cor certa para fazer minha lição e a Irmã Matilda me deu um tapa tão forte, que fui lançado ao chão e por um momento perdi a consciência. Quando me sentei de volta na carteira, ela já estava do outro lado da sala. Ficou claro que não havia se importado muito em saber se eu estava bem. Naquele tempo, eu tinha apenas sete anos. Lembro ter pensado: "Por que ela me bateu? Eu não machuquei ninguém. Não fiz nada de errado. Como é que pode alguém que fala sobre o amor ao próximo, alguém que é esposa de Deus, me tratar desse jeito?" Assim, desde muito novo, minha fé e minha confiança na Igreja Católica passaram a equilibrar-se precariamente entre o que era pregado e o que era demonstrado. Minhas dúvidas cresciam.

Permaneci na escola católica por causa da minha mãe, uma católica irlandesa de personalidade muito forte. Ela ia à missa todo dia e insistia que era o único meio de se alcançar o Paraíso. Quando eu perguntava sobre outras religiões, referia-se a elas como "aquele bando de pagãos". (De acordo com a Igreja Católica, a religião católica é a única verdadeira.) Eu não queria ser um pagão, nem queimar no inferno, e assim fiquei no Sagrado Coração, mas sentia-me bastante cético a respeito daquelas enormes senhoras, que mais pareciam pingüins.

Hoje em dia, posso entender por que as freiras tratavam as crianças daquele jeito tão violento e por que alguns (não todos) padres tornam-se alcoólatras, por que molestam sexualmente crianças e por que têm seus casos amorosos. Creio que é muito difícil, e até mesmo inumano, viver em estado de graça o tempo todo. E... por favor! Somos apenas seres humanos! Naturalmente, existem aqueles que são capazes de viver uma existência tão austera, sem maiores problemas. Para a maioria, entretanto, é impossível. Não é de admirar que haja um índice tão alto de desistência nos seminários e noviciados. A Igreja Católica mantém um sistema de crenças extremamente arcaico. Em vários aspectos, sustenta uma mentalidade do século XV. E a vida está sempre mudando e evoluindo. O que foi verdade para nossos ancestrais pode não ser mais adequado para nós. Como seres viventes neste planeta, estamos em contínuo crescimento, em expansão. Ao invés de rotular um ao outro segundo nossas crenças, precisamos ver cada pessoa como um indivíduo, um ser único – e ao mesmo tempo como um semelhante. Não estou dizendo que a religião é ruim. Justamente o contrário. Se a maioria das pessoas praticasse efetivamente os princípios da religião que segue, o mundo seria, com toda certeza, um lugar muito melhor para se viver. Ninguém morreria a tiros no bairro onde mora, nem teríamos guerras. Ninguém passaria fome, nem se veria privado de um teto. Infelizmente, acredito que os líderes religiosos estão mais interessados em garantir seu poder aqui na Terra do que em preparar seus rebanhos para a salvação.

A VIDA DO SEMINÁRIO NÃO ERA PARA MIM

Depois de oito anos na Escola do Sagrado Coração, eu me matriculei no Eymard Preparatory Seminary, no Hyde Park, em Nova York. Minha mãe queria fazer de mim um padre – não era idéia minha. Mas sempre quis sair de minha cidade natal e essa foi a oportunidade. A vida no seminário era muito difícil para mim. Pela primeira vez, eu me encontrava longe de casa – sentia muitas saudades. Mais do que isso, sentia-me abandonado. Tinha quatorze anos e fiquei muito deprimido. Por sorte, percebi que vários colegas meus estavam passando pelo mesmo processo de ajuste emocional. Se há uma coisa que a Igreja Católica ensina muito bem é que sofrimento compartilhado é um excelente fator de união das pessoas. Mais cedo ou mais tarde, nos acostumamos com isso.

No seminário, me vi de volta a um ambiente onde predominavam a ordem e a disciplina. Muito sensitivo, como que captava as frustrações dos padres e dos outros seminaristas. Sentia que a maioria deles preferiria uma vida secular, mas, por diversas razões, entregaram suas existências a Deus. Quando era um seminarista, também queria oferecer minha vida a Deus, mas não queria me tornar um padre por todas as limitações que percebia. E me sentia bastante inseguro quanto à verdade absoluta das idéias expressas na missa. Além disso, tal como na escola primária, não estava convencido de que tudo o que se referia à minha religiosidade tinha algo a ver com Deus. Parecia haver regulamentos e regras demais e pouca demonstração prática da palavra de Deus, no mundo. O único ato concreto era a coleta de dinheiro, nas oferendas.

No meu primeiro ano no seminário, refletia muito a respeito de minhas dúvidas sobre Deus. Sempre guardei esses pensamentos para mim mesmo, porque tinha receio de que me considerassem maluco. Muitas vezes, assistindo à missa, meditava sobre *o que ou quem era Deus?* E, quando fazia isso, aquela imagem da enorme mão luminosa me vinha à mente. Eu pensava: "*Foi essa mão que me conduziu para a escola católica? Foi ela que me trouxe ao seminário?*" Quanto mais me perguntava coisas, mais inseguro me sentia a respeito da minha religião. Por que minhas perguntas não recebiam respostas? Mas não demorou muito para que eu descobrisse...

Aconteceu na semana da Páscoa, na Sexta-Feira Santa. Todos os enfeites do altar haviam sido removidos. O que ficou – imagens, crucifixos – foi inteiramente coberto de panos. O ostensório foi colocado ao lado do altar. (O ostensório é uma cruz muito alta, feita de ouro e toda ornamentada, que contém as hóstias consagradas, que representam o corpo de Cristo.) Todos os seminaristas tinham seus turnos de meditação, diante do ostensório. Não havia preces predeterminadas – ficávamos à vontade para orar de acordo com nossos sentimentos. Cada estudante, de joelhos ou sentado, permanecia ali por trinta minutos de cada vez, durante todo o final de semana.

Quando me sentei ali, na Sexta-Feira Santa, foi provavelmente a primeira vez, desde aquela experiência com a mão luminosa, que senti a presença de Deus. Encontrava-me na pequena capela, olhando fixamente para aquela maravilhosa peça de arte adornada com flores. Por mais ou menos vinte minutos, permaneci ali, apenas olhando – e por todo esse tempo estive consciente da presença de Deus, ao meu redor. Claro que não se tratava de uma figura literalmente *ao meu lado*, mas uma sensação de imensa tranqüilidade e paz *dentro de mim*. Foi exatamente a mesma sensação que tive aos oito anos. Novamente, senti que aquela era a prova pela qual tanto procurava, a prova de que Deus era um ser vivo. Sabia que não era nada palpável, era muito maior, era algo no meu íntimo. Falou direto ao meu coração – não através de palavras, mas do sentimento de todo o inacreditável amor que Deus tinha por mim e do qual eu fazia parte. Compreendi que a sensação da presença de Deus não estava apenas no seminário ou na Igreja, mas em toda parte e em tudo. *Deus é ilimitado.* Finalmente, eu tinha uma resposta e sabia que esta era a razão de estar ali no seminário. Precisava ganhar esse sentido da presença de Deus. Daquele dia em diante, nunca mais duvidei da existência de Deus. Bastava olhar dentro do meu coração para vê-Lo.

Depois dessa experiência, não me senti mais obrigado a concluir o seminário. Sabia que não havia mais nada para aprender ali. Se os professores tinham como objetivo me preparar para captar a presença de Deus, já haviam obtido êxito. Dei-me conta de que Deus era parte de mim e de cada coisa que realizo. Deus é amor incondicional, compreensão, compromisso, justiça e honestidade. Cada um de nós tem Deus dentro de si.

A vida no seminário me ensinou muitas coisas e, revendo a experiência, sinto-me grato por tê-la tido. Descobri a mim mesmo, a minha própria identidade, o que até então me fazia muita falta. Fui obrigado a confrontar-me com outras pessoas e a reconhecer o que tinham de bom e de mau. Ironicamente, o seminário também me ajudou a decidir que o catolicismo não servia para mim. Encontrei algo mais rico e profundo em que acreditar – Deus. E não era o Deus que se sentava em um trono nos céus ou o filho de Deus crucificado. Era o Deus de amor que habitava dentro de mim.

Depois dessas descobertas, me dei conta também de que não era mais capaz de adorar o Deus prescrito pela Igreja, um Deus ultrapassado e volúvel. Não podia mais acreditar numa mitologia centrada na culpa e no castigo.

Até hoje acho inacreditável que a Igreja ensine tais coisas. Mas, por favor, não me entenda mal. Qualquer um tem o direito de acreditar no que quiser. Estou apenas falando a respeito da minha própria formação religiosa.

COMUNICAÇÃO COM O OUTRO LADO

Deixei o seminário depois de um ano e fui para uma escola pública em Nova York, onde estudei mais três anos. Afastei-me de casa novamente, quando fui para a Universidade de São Francisco, para fazer um curso de radiodifusão. Sonhava em ser roteirista de cinema e de tevê. Levado pela sorte, coordenando uma conferência com a equipe de criação do seriado *Hill Street Blues*, tornei-me amigo de um dos produtores do programa. Quando lhe disse que estava perto de me formar, ele me ofereceu o que considerei minha primeira oportunidade real. Nunca esquecerei aquelas palavras mágicas:

– Ligue para mim, quando chegar a Los Angeles. Provavelmente, poderemos empregar você como assistente de produção.

Um *assistente de produção*. De repente, minha vida parecia encaminhada.

Depois de formado, não perdi tempo. Voltei para Nova York, comprei um carro, empacotei minhas coisas e fui para o Oeste. Entrei em Los Angeles em 7 de julho de 1982. Finalmente, estava na divisão principal do campeonato. Conquistara Hollywood. Jurei que não deixaria a cidade até realizar meu sonho de tornar-me um roteirista. Telefonei para o meu amigo, o produtor, para anunciar que estava preparado para começar no novo emprego... Só que não havia emprego nenhum.

Sobrevivi à custa de empregos temporários, até arrumar uma colocação de tempo integral no porão da Agência William Morris. Era responsável pela charmosíssima tarefa de arrancar os grampos dos arquivos que estavam sendo preparados para microfilmagem. Passava a maior parte do dia sonhando em me tornar um famoso roteirista de cinema e em gozar de uma vida fantástica. Embora não tivesse o trabalho dos meus sonhos, tinha a estranha sensação de que era importante para mim permanecer ali. Logo descobriria por quê.

Um dia, minha supervisora, Carol Shoemaker, e eu estávamos discutindo metafísica. Ela tinha uma consulta marcada com um médium chamado Brian Hurst.

– Quer vir comigo? – ela convidou.

Não tinha a menor idéia do que era um médium, mas aquela era pelo menos a chance de sair da sala de correspondência e descobrir algo novo.

Chegamos a Manhattan Beach um pouco antes das sete – a hora da consulta. Talvez *sete fosse a hora das bruxas para mim.* Estava um pouco nervoso com tudo aquilo. Minha cabeça, volta e meia, escapulia de volta para a *sessão* com Scott e Janis. Comecei a me perguntar se tentar conversar com os mortos era uma idéia tão boa assim.

O inglês sorridente com grandes olhos verdes que nos recebeu na porta não me tranqüilizou nem um pouco. Quando se apresentou, achei que ele parecia simpático demais para a profissão que exercia. Enquanto ele nos conduzia pela casa, minha mente acelerava-se, conjurando as imagens dos demônios que aquele feiticeiro poderia invocar. Carol e eu nos instalamos em um sofá confortável de um laranja brilhante. Estávamos prontos para a decolagem? Eu, sinceramente, não tinha nenhuma certeza.

Brian levou meia hora descrevendo como seria a experiência que estávamos prestes a ter. Explicou que era *clariauditivo* – literalmente, ele era capaz de *escutar* as vozes dos espíritos.

– Os espíritos estão numa vibração muito mais rápida. Falam muito rápido. Às vezes, parece o código Morse. Pego pedaços de informação do que dizem, como se fossem piados e bips.

Ao terminar a explicação, ele disse que o pai de Carol estava de pé, no canto da sala.

– Parece que ele feriu um dos dedos.

Carol respondeu que seu pai havia cortado um dos dedos pouco antes de morrer. Eu estava espantado. *Como ele poderia saber disso?* Fiquei sentado na beira do sofá, aguardando por mais.

Brian continuou a falar do pai de Carol. Nenhuma vela se moveu por ali, nada de batidas na mesa também.

Vinte minutos mais tarde, Brian voltou-se para mim. Disse que havia um outro James, em espírito, que me dera seu amor e que acompanhava minha vida com muito interesse. Não tinha a menor noção de a quem ele estaria se referindo. Tempos depois, descobri que de fato eu tivera um tio chamado James, que morrera alguns anos antes.

Perto do fim da sessão, Brian falou:

– James, você sabe que tem poderes mediúnicos muito desenvolvidos? Os espíritos estão me dizendo que um dia você dará consultas como esta às pessoas. Os seres espirituais têm planos para você.

Não sabia como responder a essa predição. Meus objetivos na vida eram completamente diferentes. E não estava absolutamente pronto para uma virada de 180 graus. Um pouco nervoso, retruquei:

– Tenho bastantes problemas querendo entender os vivos. Por que iria começar a falar com os mortos?

Brian simplesmente sorriu e, com toda calma, assegurou:

– Um dia, é exatamente isso o que você vai fazer.

A EXPLORAÇÃO DE MEUS PRÓPRIOS PODERES PSÍQUICOS

A predição de Brian ficou me atormentando por muitos meses depois dessa sessão. Na ocasião, ele havia explicado que nem todo mundo era capaz de elevar sua própria vibração a um nível que habilitasse a comunicação direta com os espíritos.

– Felizmente, James, você possui essa capacidade.

Fiquei fascinado com o contato de Brian com o mundo espiritual e muito curioso a respeito do que ele afirmara quanto à possibilidade de eu fazer a mesma coisa. A velha curiosidade da minha infância retornara com toda força. *Por que eu? O que foi que eu fiz para me qualificar para esse tipo de coisa?* Em meu coração, já sabia que aquele seria meu futuro, e que todas as minhas experiências até então tinham me preparado para essa mudança de rumo. Mas minha cabeça não conseguia aceitar essa estranha perspectiva. Não era essa a vida que eu havia planejado. "E a minha carreira como roteirista? Não fora essa a razão da minha vinda a Los Angeles? Haveria outro plano para mim?" Decidi avaliar meus poderes psíquicos.

Comprei todos os livros que pude encontrar sobre poderes psíquicos ou desenvolvimento da mediunidade. Muitos desses livros descreviam diferentes técnicas para fazer evoluir a habilidade psíquica que todos possuímos.

Algumas dessas técnicas estão exemplificadas a seguir: eu precisava segurar um objeto bem próximo aos meus olhos e verificar que *sensações* poderiam surgir a respeito daquilo que tinha em mãos. Essas *sensações* poderiam ter a forma de imagens, sons, nomes ou emoções. Outra técnica consistia em segurar o retrato de uma pessoa ou de um grupo de pessoas e escrever em um pedaço de papel todos os pensamentos que me ocorressem sobre as pessoas na foto, tais como suas idades, seus gostos, o que as desagradava, se estavam felizes, tensas, ou preocupadas a respeito de alguma coisa e assim por diante. Um dos exercícios exigia a participação de um grupo de pessoas. Uma pessoa tinha que se sentar em uma cadeira, de frente para as demais. Outra precisava postar-se de pé um passo atrás da pessoa sentada, fora de seu campo de visão, portanto. A pessoa sentada deveria descrever tudo o que sentisse a respeito da pessoa de pé. Seria a energia de um homem ou de uma mulher? Quais seriam as características mais destacadas dessa pessoa? Como eram suas roupas? A pessoa usava óculos?

Todos esses exercícios são concebidos para ajudar a pessoa

interessada a utilizar suas sensações, e não seu lado racional, para captar o mundo ao seu redor. Logo, eu estava incorporando muitos deles ao meu cotidiano. Por exemplo, no meu caminho para o escritório, tentava adivinhar qual o elevador que chegaria primeiro ao térreo. Ou tentava intuitivamente visualizar as cores das roupas que meus colegas de trabalho estariam vestindo. Quanto mais exercitava minha intuição, mais meus palpites mostravam-se corretos.

Em diversas ocasiões, considerei esses exercícios muito úteis e mesmo divertidos. Lembro que, ao organizar uma reunião no salão de conferências em que trabalhava, tentei adivinhar quantas pessoas compareceriam. Minha primeira impressão fixou-se no número vinte e quatro. Assim, sem consultar a ninguém, dispus vinte e quatro cadeiras e vinte e quatro copos de água. Nessa altura, muitos de meus colegas de trabalho sabiam de meus jogos psíquicos e, assim, não ficaram surpresos ao encontrar a sala arrumada daquele jeito. Depois de tudo pronto, o grupo começou a entrar pela porta. Cada um sentava-se em seu lugar, até chegarem a vinte e dois participantes. Não me conformei: "Como pude errar por dois?" Minha colega Jodie piscou para mim, como se dissesse: "Melhor sorte na próxima!" Nem é preciso dizer que fiquei profundamente desapontado. Cinco minutos já decorridos da reunião, e o supervisor anuncia que tínhamos um novo empregado na firma. A porta abriu-se e vimos entrar o Sr. Ryan e sua secretária, Carmen. Eles sentaram-se nas cadeiras restantes. Foi minha vez de voltar-me para Jodie e piscar para ela: "Eu sabia!"

Quando adquiri mais confiança na minha intuição, comecei a captar coisas sobre as pessoas – a *ler* as pessoas. Era minha maneira de sintonizar com o interior dos outros, em um nível emocional. Creio que você pode chamar isso de *algo que vem das entranhas.* Funcionava do mesmo jeito que utilizava com os retratos. Eu tentava captar o que estava se passando no íntimo das pessoas. Tratava-se de uma boa pessoa? Estaria escondendo alguma coisa? Era feliz ou triste? Quais seriam seus desejos na vida? O que a motivava?

Registrava minhas sensações e então comparava com a pessoa física, de maneira a verificar se o que havia captado intuitivamente se encaixava com a realidade. No início, levei algum tempo até descobrir que perguntas fazer a mim mesmo. Mas, depois, parecia que, em poucos segundos, eu era capaz de *ler* a pessoa.

Novamente, descobri que, quanto mais seguisse minha primeira intuição, mais era capaz de acertar. Precisava aprender a não ter medo de me perguntar: "Será que a minha primeira sensação foi distorcida por meus preconceitos ou por meu julgamento? Foi de fato a minha primeira sensação, ou já é um pensamento elaborado?" Logo tornou-se claro para mim que aprender a confiar nos meus palpites e seguir meu instinto seria sempre válido, independente das minhas razões para fazê-lo ou do sentido que minha vida tomava.

Depois de um ano, seguindo meu programa de desenvolvimento da intuição, minha *sensitividade* havia crescido enormemente. Meus colegas de trabalho começavam a me convidar para perguntar coisas sobre o futuro. A maioria das dúvidas dizia respeito a relacionamentos – e essas vibrações eram as mais fáceis de ler. Pelo menos, eu era sempre capaz de dizer se havia algo errado. Comecei a captar imagens mentais dos rostos das pessoas sobre quem conversávamos. Poderia dizer a cor de seus cabelos e de seus olhos, descrever a linha da boca e do queixo, e algumas vezes mesmo alguma marca de nascença. Quase sempre, conversando ao telefone com a pessoa sobre quem algum colega queria fazer perguntas, era capaz de descrever suas características físicas. Podia também dizer que tipo de sentimento havia entre os dois.

Por exemplo, certa vez, *li* para uma moça chamada Paula, falando com ela ao telefone. Quando ela perguntou alguma coisa sobre seu namorado, Michael, imediatamente sintonizei com ela, em sua vibração emocional, e a senti muito solitária. (É muito mais fácil fazer isso ao telefone, porque a aparência física não interfere na sensação.) Disse-lhe o que sentia e que ela desejava desesperadamente ter uma relação normal e equilibrada com Michael, mas que ele não estava disponível emocionalmente para um relacionamento desse tipo. Ela respondeu apenas:

– Eu sei...

Mais tarde, disse-lhe que ele não apenas estava distante dela, emocionalmente, mas, fisicamente, nem sempre estava por perto. (Quando duas pessoas compartilham um relacionamento, a energia de cada parceiro permanece com o outro. Se um casal passa pouco tempo junto, essa energia em volta de cada um se dispersa significativamente.)

Em outra ocasião, uma jovem chamada Cindy perguntou-me o que eu achava do seu noivo. Senti a energia de Cindy pelo telefone e perguntei o nome de seu noivo. Procurei sintonizar-me com seu nome e com a energia que ele deixara com ela e captei algo completamente desequilibrado. Disse-lhe que não julgava que seu noivo fosse uma boa escolha para ela e sugeri que adiasse o casamento por algum tempo. Ela reagiu fortemente:

– Você está completamente enganado!

E assim nos despedimos... Dois anos mais tarde, uma amiga relembrou aquela conversa, por telefone, com Cindy, contando-me que a moça de fato havia se casado, três meses depois. O casamento durou cinco meses, e o casal havia se divorciado recentemente.

Não quero dar a você a impressão de que nunca erro. Claro que erro. Só quis explicar que, para mim, o modo mais fácil de *ler* as pessoas é através das emoções. As emoções são energia em estado bruto e, quer se dê conta ou não, a maioria das pessoas traz o coração à flor da pele.

Com o correr do tempo, fui me acostumando progressivamente a usar minha intuição, que com isso tornava-se cada vez mais forte, aumentando minha confiança nela. Logo, meus amigos e os amigos dos meus amigos começaram a me chamar e a fazer perguntas sobre suas vidas. Nunca me ocorreu lhes cobrar por isso, porque ainda estava aprendendo. Além do mais, minha maior recompensa era ver confirmadas minhas impressões intuitivas. Foi durante esse período de aprendizado que a predição de Brian sobre a comunicação com os espíritos revelou-se correta. Estava falando ao telefone com uma jovem sobre um problema pelo qual ela estava passando. Subitamente, tive o irresistível desejo de lhe perguntar se ela conhecia alguém chamada Helen.

– Sim... Minha avó se chamava Helen. Ela morreu faz um ano.

– Ela está me enviando um pensamento sobre... Idaho – continuei.

– Era onde ela morava! – exclamou a jovem.

– Sua avó está me dizendo que costumava fazer croché e fez algumas almofadas para o sofá. Diz que insistia em manter seu banquinho para os pés no lugar certo, o tempo todo. Ela diz também que adora ficar olhando para o estampado de rosas que forra o banco. Helen quer que você saiba que fez um igual àquele, no céu.

No outro lado da linha fez-se um longo silêncio. A garota estava chocada, mas pôde constatar que tudo o que eu disse era verdade. Eu desliguei o telefone e, imediatamente, engoli duas aspirinas. Não conseguia acreditar no que estava acontecendo. A predição de Brian havia se confirmado – eu, de fato, conversava com os espíritos. Mesmo depois de tudo o que estudara e o que já havia vivido, não estava de forma alguma preparado para aquele momento. Todo um mundo novo de inacreditáveis sensações e descobertas havia se aberto para mim. As possibilidades eram excitantes; e as responsabilidades, enormes.

Descobri que quando eu elevava minha vibração para atingir o outro lado, a conexão me infundia uma incrível sensação de liberdade, de amor e de alegria. Era o que eu havia sentido, ao captar a presença de Deus, quando criança. Manter a vibração naquele nível me exauria, mas a recompensa fazia valer a pena. A dificuldade começava quando a sessão já havia terminado e eu precisava me situar novamente no mundo tridimensional, no mundo físico. Precisei desenvolver todo um novo sentido de equilíbrio, para não enlouquecer.

Os pedidos se avolumavam. Nunca fiz nada para obter clientes – eles vieram a mim por força do boca-a-boca. Em breve, os pedidos eram tantos, que cheguei à conclusão de que precisava fazer uma escolha. *Deveria permanecer no meu novo emprego, no departamento de contratos da Paramount, ou deveria exercitar o dom que recebera, com dedicação integral?* Na verdade, nunca houve escolha. Foram tantas as experiências por que passei, me levando àquele ponto, que somente me faltavam coragem e autoconfiança para dar o passo seguinte. E foi o que eu fiz.

Nos últimos dez anos, tive o privilégio de conversar com milhares de pessoas, através de consultas individuais, encontros de grupo, simpósios internacionais e, mais recentemente, no rádio e na televisão. As experiências – algumas das quais você vai conhecer por meio deste livro – têm sido extremamente gratificantes, intensamente envolventes, do ponto de vista emocional, e extraordinariamente positivas. Aprendi a me libertar dos condicionamentos do meu ego e permitir à minha vida dirigir-se para onde quiser me levar. Tem sido, com toda certeza, uma aventura das mais excitantes. E mal posso esperar para ver o que vem depois.

NO QUE EU CREIO

Desde aquela experiência da mão brilhante, quando eu tinha oito anos, e dos anos na escola católica, tenho vivido numa busca espiritual. Freqüentemente me perguntam se acredito na existência de Deus, no céu e no inferno. Baseado no meu trabalho de comunicação espiritual, e nas centenas de livros que li, cheguei a algumas conclusões.

Para começar, eu acredito em Deus. De fato, acredito que todos nós somos Deus. O que isso significa? Eu acredito que fomos feitos à semelhança de Deus. Não estou falando de características humanas, mas de qualidades espirituais. Podemos parecer diferentes, exteriormente, mas nosso íntimo é absolutamente o mesmo. Quando nos tornamos conscientes da presença espiritual, começamos a ver a Luz Divina dentro de cada pessoa e, com esse saber, começamos a nos dar conta de que somos todos uma única coisa, a mesma coisa. Todos fomos feitos da *Chama de Deus*. Mesmo a mais baixa das criaturas, rastejando pelo chão, é feita dessa mesma matéria-prima. Mesmo os que parecem cruéis, perversos, são feitos da *Chama Divina*. As pessoas cruéis são talvez as mais distantes do que é Deus. Deus é perfeição em tudo. Deus é criatividade em todas as coisas. Cada um de nós é perfeito, se procurarmos apenas nossa parte divina. No entanto, a maioria de nós se apega ao *ego* ou à nossa parte humana, e assim raramente se aproxima da verdade de quem somos.

Onde Deus habita? Dentro de nós. No âmago de nosso ser. Deus é a nossa essência. É a própria vida. Não acredito que Deus seja uma figura postada lá no alto, no espaço, olhando para nós, aqui embaixo. E, enquanto muitos já representaram a grande Luz de Deus na forma humana, a mesma Chama Divina que está neles está em cada um de nós. Deus é a minha luz, a sua luz, a mesma luz de todos os seres. A diferença pode estar no grau – algumas luzes são mais brilhantes do que outras e algumas são muito fracas.

Em segundo lugar, acredito, sim, no Paraíso. Pessoalmente, acredito que o Paraíso é o além, o *outro lado* do nosso mundo físico, e que se parece muito com este nosso mundo daqui, com seus sons, suas imagens – sempre, no entanto, mais vívidas, mais coloridas. O Paraíso é o lugar onde se pode passear num jardim, andar de bicicleta ou remar a bordo de um barco. De fato, podemos fazer qualquer coisa no Paraíso, contanto que tenhamos merecido fazê-lo. No entanto, muitos estão obstruídos pela idéia do Paraíso cristão. Sempre me pergunto: "Para onde vão os muçulmanos ou os judeus, quando morrem?" Certamente, não são obrigados a entrar no Paraíso cristão. Obviamente, cada religião tem seu próprio Paraíso e seu próprio inferno.

Acredito que haja diferentes planos no Paraíso. E que vamos para o plano que criamos com nossos pensamentos, palavras e atos aqui na Terra. Aqueles que desenvolveram um mesmo nível espiritual irão habitar no mesmo plano do Paraíso. Seres mais desenvolvidos espiritualmente irão se situar num plano mais elevado. Os menos evoluídos, em um plano mais baixo. Não podemos alcançar um plano mais alto, até merecermos isso. No entanto, os seres no plano mais alto podem vir para esferas mais baixas e, em muitos casos, é o que fazem, com o objetivo de ajudar e assistir os menos capacitados. Então, para onde vão os maus, os perversos? Vão para o Paraíso ou para o inferno que criaram a partir de seus pensamentos, palavras e atos aqui na Terra. Também eles convivem com outros seres que estão no mesmo nível de desenvolvimento espiritual.

Neste livro, espero ajudá-lo a esclarecer suas próprias crenças para que você, assim como eu, tenha uma resposta às dúvidas sobre Deus e sobre o mundo espiritual.

Capítulo 2

O Dom

O que é energia? Energia é tudo. Para defini-la em termos bastante simples, a energia é composta de moléculas girando ou vibrando em várias velocidades. Em nosso mundo físico, as moléculas giram em uma velocidade muito baixa. No mundo físico, também, tudo vibra em uma velocidade constante. É por isso que as coisas na Terra parecem sólidas. Quanto menor a velocidade, mais densa ou mais sólida é a coisa – por exemplo, a cadeira na qual você está se sentando, este livro que você lê, a casa em que vive e, é claro, o seu corpo físico. Para além do mundo tridimensional, as moléculas vibram muito mais rapidamente. Portanto, em um ambiente tão sutil, ou em uma dimensão etérea, como é o mundo espiritual, as coisas são mais livres e menos densas.

Dentro de nosso corpo físico há um outro corpo usualmente chamado *corpo astral*, *etéreo*, ou *corpo espiritual*. Esse corpo é uma réplica exata de nosso corpo físico e, como tal, possui olhos, cabelos, mãos, pernas e tudo o mais. A grande diferença entre nosso corpo físico e o corpo etéreo é que as moléculas deste vibram em uma velocidade muito maior do que as da sua contraparte física. Normalmente, não podemos ver o corpo astral. No entanto, algumas pessoas, valendo-se de poderes psíquicos, são capazes de enxergá-lo. Durante a transição que chamamos de *morte*, o corpo etéreo é liberado do corpo físico. O corpo etéreo não é sujeito a moléstias, nem ao envelhecimento, como acontece com o corpo físico, e pode mover-se de um ponto para o outro através do pensamento.

UM MÉDIUM PODE TER MUITAS HABILIDADES

Aqueles que são capazes de sintonizar a vibração mais veloz, própria dos corpos espirituais depois da morte, seja de maneira física ou mental, são chamados *sensitivos* ou *médiuns*. Como o termo sugere, um médium é um indivíduo que está no meio das partes, um mediador ou intermediário, uma pessoa que transita entre o mundo físico e o espiritual. Um médium é capaz de usar sua energia para ultrapassar o tênue véu que separa a vida física da vida espiritual.

Vou expor uma forma de conceber a mediunidade. Os seres humanos são dotados de uma mente superconsciente, de uma subconsciente e da mente consciente. Na mediunidade, todos os pensamentos, sensações e visões são transmitidos através da mente superconsciente do médium, ou da *mente espiritual*. Constantemente, captamos impressões espirituais dessa exata maneira, mas o médium é capaz de interpretá-las. A mensagem então se transfere para a mente consciente e é revelada.

O termo *psíquico* é usado freqüentemente como uma palavra genérica para denominar todo aquele que se dedica ao trabalho para-normal. Todo mundo é *psíquico*, em algum nível, mas nem todos são médiuns. Um médium não é alguém que *lê a sorte*. Em outras palavras, os médiuns são *psíquicos*, mas nem todos os psíquicos são médiuns. Tanto o poder psíquico quanto a mediunidade usam os mesmos mecanismos da mente, mas a mediunidade difere de *ser psíquico*, ou do poder psíquico. Assim como a mediunidade, o poder psíquico é dotado de telepatia. Telepatia é apenas uma outra palavra para comunicação de uma mente para outra. Por exemplo, você está com um amigo e, de repente, diz exatamente o que ele está pensando. Seu amigo, então, exclama: "Puxa, você tem poderes psíquicos!" Uma pessoa dotada de tais poderes é capaz de *ler* um objeto inanimado ou uma outra pessoa, sintonizando a energia que emana desse objeto ou pessoa. É na aura desse objeto ou dessa pessoa que o indivíduo dotado de poder psíquico capta o que a seguir interpreta em revelações sobre o passado e o futuro daquele ou daquilo que *lê*. Uma pessoa com poderes psíquicos pode também receber a energia de um objeto

ou de uma pessoa através de sensações ou olhando para ela. Ocorre que, como não há a dimensão do tempo no mundo da energia, poucos dotados são capazes de situar precisamente no tempo a informação que recebem.

Por outro lado, um médium é uma pessoa capaz de sentir e/ou de escutar pensamentos, vozes, impressões mentais do mundo espiritual. Também os espíritos usam a telepatia. Um médium é capaz de tornar-se completamente receptivo à freqüência mais alta ou às energias em que os seres espirituais vibram. Assim, a mente de um espírito se funde à mente superconsciente do médium ou imprime-se nela. Dessa maneira, a mensagem vai para a mente consciente, e o médium torna-se capaz de dizer o que o espírito está pensando ou sentindo. A mediunidade exige mais envolvimento do que o poder psíquico, porque o médium está lidando com uma energia *desencarnada*. O poder psíquico não traz informações de um espírito que está num nível de freqüência mais alta. Um desencarnado utiliza muito da energia vital do médium para enviar sua mensagem. O médium trabalha diretamente com o espírito, e ambos precisam estar dispostos a tomar parte no processo de comunicação – de outra forma, não haverá comunicação alguma.

O conceito de mediunidade fica mais evidente nos sonhos. Muitas vezes, sonhamos com parentes ou com amigos que já morreram. Alguns desses sonhos parecem tão reais que somos capazes de afirmar que estivemos com eles. E nos despertam emoções muito poderosas. Isso ocorre porque, enquanto sonhamos, estamos de fato com nossos entes queridos em um plano espiritual. Quando dormimos, nosso corpo astral ou etéreo viaja para regiões não-terrenas onde reencontramos aqueles que amamos e com quem podemos nos comunicar.

A mediunidade em si pode ser dividida em muitas categorias. A primeira, e a mais comum, é a mediunidade mental. Como a palavra *mental* denota, essa forma de mediunidade se utiliza da mente – da mente intuitiva, cósmica, não da mente racional e lógica. Esse tipo de mediunidade manifesta-se de diversas maneiras: clarividência, clariaudição, clarisensibilidade e pensamentos inspiradores.

Clarividência

A palavra significa *visão clara*. Um clarividente aplica seu sentido inato, sua visão interior, para ver objetos, cores, símbolos, pessoas, espíritos, cenas. Essas imagens não aparecem para o olho *normal* e, geralmente, surgem como um flash dentro da mente do médium, como se ele as estivesse vendo *fisicamente*. Na maioria dos casos, devem ser reconhecíveis para a pessoa que consulta o vidente, a quem passarei a me referir como o *consulente*.

Clariaudição

O termo significa *audição clara*. Um clariaudiente possui o que se pode chamar de *ouvido psíquico* ou *ouvido sensitivo*. É capaz de escutar sons, nomes, vozes e músicas que vibram numa freqüência mais alta. Assim como os cachorros, cuja audição capta freqüências mais altas do que os humanos, os médiuns desse gênero são capazes de ouvir sons em uma freqüência mais alta de vibração. A clariaudição transmite ao consulente as palavras que o médium capta na freqüência mais alta de vibração. Embora ele escute as vozes dos espíritos ou seus murmúrios com a mesma inflexão que usariam em suas vidas terrenas, transmite ao consulente as palavras em sua própria voz.

Clarisensibilidade

Essa forma de mediunidade expressa-se através de *sensações claras*. Um médium dotado de clarisensibilidade é capaz de sentir a presença dos espíritos no ambiente. Um verdadeiro médium com tal dom normalmente sente a *personalidade espiritual* penetrando em seu ser como um todo. Ele é capaz de transmitir mensagens ao consulente através de sentimentos e emoções fortes e empáticos vindos do espírito. Não apenas a mente do médium é utilizada no processo, mas também seu corpo emocional.

Pensamentos inspiradores

Também chamado de fala inspiradora, escrita inspiradora, arte inspiradora. Nesse caso, o médium recebe pensamentos, impressões, conhecimentos – sem nenhuma premeditação. Difere da clarisensibilidade porque o envolvimento emocional *não* é tão evidente quanto no contato com a *personalidade espiritual*. Os pensamentos inspiradores são extremamente objetivos. Não carregam nem a intensidade emocional nem a personalidade espiritual acoplada à mensagem, como acontece na clarisensibilidade. Embora os pensamentos inspiradores provenham dos espíritos, a personalidade do espírito não se imprime no receptor.

Em muitos casos, um grupo de almas pode imprimir um receptor terreno com pensamentos inspiradores. O grupo de almas funde seus pensamentos e os imprime na pessoa, que assim compõe uma melodia ou pinta um quadro. Aqui também o processo não corre no plano emocional, mas puramente através da inspiração. Grandes artistas como Michelangelo, Monet, Renoir e compositores como Bach, Mozart e Schubert eram médiuns. Famosos cientistas e pesquisadores do passado também eram médiuns e utilizavam pensamentos inspiradores. Bem à nossa volta, hoje em dia, temos maravilhosos artistas, músicos, escritores, atores e oradores que usam a arte mental mediúnica dos pensamentos inspiradores.

O segundo tipo de mediunidade é a física, e difere bastante da mediunidade mental. Na mediunidade física, o corpo físico desempenha um papel; na mediunidade mental, apenas a mente do médium entra em ação. *Recepção*[1] é uma forma bem conhecida de mediunidade física.

Há uma substância que emana de nossos corpos, chamada *ectoplasma*. A palavra vem do grego: *ektos*, que vem de fora, externo, e *plasma*, algo moldado. O ectoplasma foi descoberto pelo Dr. Charles Richet, um professor francês de fisiologia, depois de observar uma substância nebulosa que emanava do corpo de diversos médiuns. O ectoplasma é invisível, e ainda assim varia de estado e de densidade. Pode aparecer como gás, líquido ou –

Nota do Tradutor

1 Em inglês: channeling.

mais comumente – como algo semelhante a uma gaze, como a utilizada nas ataduras. Não tem cor nem cheiro e pesa algo em torno de 8,6 gramas por litro. Pode ser encontrado na maioria das pessoas, mas é especialmente desenvolvido nos médiuns. Pode ser melhor visto no escuro, já que a substância é extremamente sensível à luz. O ectoplasma pode emergir dos ouvidos do médium, da boca, do nariz, ou da área do plexo solar. Esse material viscoso pode ser utilizado de várias formas, como veremos a seguir.

A caixa de voz

Nesse tipo particular de mediunidade, o ectoplasma é utilizado para formar uma caixa de voz artificial, através da qual emana a voz do espírito. A voz é semelhante ou mesmo exatamente igual à do indivíduo quando este vivia no plano terreno. Já presenciei quatro sessões nas quais esse fenômeno foi apresentado. Tive a sorte de consultar-me com o famoso Leslie Flynt, um médium inglês de dons físicos. Leslie recebia muitas celebridades em suas sessões. Uma das mais assíduas era Mae West – ela própria tinha o hábito de promover sessões. Na minha terceira consulta, minha mãe apareceu e sua voz soava exatamente a mesma de quando estava viva. Ela me chamou pelo meu apelido, que ninguém mais sabia, somente nós dois. A experiência foi, para dizer o mínimo, inspiradora e inesquecível. Infelizmente, esse tipo de mediunidade é rara. Conheço apenas um outro médium ainda vivo capaz de criar tal fenômeno.

Materialização

Essa é a forma mais rara de mediunidade física e a mais impressionante. Os espíritos podem moldar qualquer coisa, desde membros do corpo, rostos, cabeças, torsos, até o corpo completo, réplicas exatas de suas aparências terrenas. A densidade dessas materializações depende bastante do estágio de desenvolvimento do médium. Houve médiuns materializadores muito famosos no começo do século. Entre eles, Jack Webber, Ethel Post-Parrish e Helen Duncan.

Transporte

O *transporte* é o fenômeno no qual diferentes objetos, tais como jóias, flores, moedas e outros, materializam-se durante a sessão. Acredita-se que esses objetos desmaterializam-se em algum lugar e materializam-se em outro. Mas também se julga possível que o objeto materializado seja moldado pelo mundo espiritual.

Cura espiritual

Uma outra forma de mediunidade é a cura espiritual. O corpo de um médium é imbuído de energia curativa proveniente do mundo espiritual. Depois de muita prática, um médium pode até mesmo curar diversas enfermidades consideradas fatais. Trata-se de algo diferente da cura magnética, na qual as próprias forças vitais do médium são utilizadas na cura.

Fotografia espiritual

Esse tipo de mediunidade é mais comum. Figuras com aparência fantasmagórica ou réplicas exatas de indivíduos desencarnados aparecem em fotografias. Podem ser vistos também, nessas fotos, luzes ou clarões esbranquiçados e flashes.

Sou um médium mental, que me utilizo dos dons da clarividência e da clarisensibilidade. Usualmente, digo ao consulente que sou apenas um telefone do mundo espiritual. Da mesma maneira como captamos pensamentos diariamente, estou sempre atento e sensível às freqüências de pensamento que os espíritos criam e enviam para a minha consciência. Para sintonizar os pensamentos e sentimentos dos espíritos, preciso elevar minhas vibrações e, em contrapartida, o espírito precisa baixar as suas. Algumas vezes, isso pode ser muito difícil. Geralmente, não escuto frases inteiras, como acontece numa conversação normal com seres humanos. Quando um espírito diz:

– Olá, como você está hoje?

Posso escutar:

– ...á, como... je?

Quando atendo alguém, é importante que a energia do quarto esteja em estado de muita harmonia para ambos – para mim e para o consulente. Prefiro fazer minhas consultas em casa, onde as condições estão sempre sob controle, onde há silêncio, paz e um ambiente aprazível. Quando o consulente senta-se à minha frente, posso imediatamente dizer se está nervoso, zangado, apreensivo, assustado, meditativo, aberto ou fechado ao que irá acontecer. Em outras palavras, posso sentir a energia que o rodeia. Se necessário, conduzo-o a um relaxamento, por meio de uma breve meditação. Depois disso, quando a pessoa se tranqüiliza, explico como eu trabalho e o que ela pode esperar. Os clientes são sempre autorizados a gravar em fita-cassete as sessões.

COMUNICAÇÃO COM OS ESPÍRITOS

Quando capto sutis energias intensificando-se em torno de mim, relaxo e abro minha mente àqueles que desejam comunicar-se. Repito para o consulente tudo aquilo que recebo, sem pensar nem tentar interpretar as palavras. Mesmo que o pensamento não faça sentido para mim, pode muito bem ser compreendido pelo consulente. Embora tente não analisar o que escuto, acabo fazendo isso algumas vezes. No entanto, preciso lembrar constantemente que aquilo que pode parecer irrelevante para mim pode ser importante para o consulente.

Mais ainda, na clarisensibilidade posso sentir a situação de morte, associada ao indivíduo que empreende o contato. Quando o espírito retorna à atmosfera terrena, capta a lembrança associada à sua última experiência neste plano. Para quase todos nós, a morte é a nossa experiência mais vívida. Por exemplo, quando determinada pessoa morre de um ataque cardíaco, posso sentir sua presença espiritual por meio de uma dor opressiva atravessando meu peito. Se alguém morre de câncer ou de AIDS, posso sentir a degeneração em meu corpo. Se uma morte ocorre de maneira súbita, tal como um assassinato, pode acontecer uma espécie de solavanco no meu corpo. Se a morte foi por suicídio, minhas sensações vão variar de acordo com a maneira como o ato foi consumado. Em outras palavras, se alguém se mata com pílulas, posso sentir um peso no estômago e certa tontura. Se a pessoa se mata a tiro, a sensação é uma dor aguda na região na qual a bala entrou. Minhas primeiras impressões se manifestam em um nível emocional. Portanto, se o espírito está contrariado e chorando, posso também sentir-me deprimido e começar a chorar. Se um espírito está rindo, contando piadas, também começo a rir.

A personalidade do espírito quase sempre acompanha os pensamentos emocionais transmitidos. Por exemplo, se o espírito na vida terrena tinha uma personalidade autoritária, minha voz pode assumir um tom de comando. Se é uma personalidade do tipo *língua afiada*, posso dizer coisas desagradáveis. Se o indivíduo era pouco emotivo e fechado para seus sentimentos, nada expansivo, portanto, o médium terá muita dificuldade em descrever suas emoções.

Normalmente, os espíritos transmitem mensagens que o consulente compreende com facilidade. No começo da transmissão, o espírito dará seu nome, ou contará onde viveu, ou narrará um fato insignificante, mas que forneça ao consulente a prova de que seu ente bem-amado está presente. Muitas vezes, os espíritos fornecem informações triviais, que apenas o consulente conhece. Por exemplo, a avó de um consulente pode dizer que apreciava um forro florido que cobria seu sofá. Ou poderá falar sobre aquelas caixas de livros que o consulente, recentemente, desempacotara, arrumando os volumes na segunda prateleira de sua estante.

Muitas pessoas me perguntam por que os espíritos se dão ao trabalho de vir a nós para proferir tais banalidades, se há tanta coisa mais profunda sobre os segredos da existência, a respeito das quais poderiam falar. A resposta é muito simples: são as revelações mais simples que provam ao consulente que o espírito existe e que está de fato se comunicando com ele.

Se o espírito tinha um hobby ou alguma atividade particular, enquanto esteve na Terra, é muito provável que revele esses interesses durante a consulta. Por exemplo, tive uma cliente cujo falecido marido lhe disse para certificar-se de encher sempre o potinho no qual se alimentavam os pássaros, pendurado na árvore no jardim de trás da casa.

– Meu Deus! – ela exclamou. – É ele. Toda manhã, ele ia até a árvore e tornava a encher o tal potinho. Não posso acreditar. Ele tem razão. Esqueci-me de botar mais sementes nele, esta semana. Tudo tem estado tão confuso.

Para qualquer outra pessoa, essa mensagem pode parecer bastante trivial, mas para a consulente era uma comprovação de que ela estava realmente conversando com seu marido. Nomes já são importantes, mas detalhes pequenos ajudam a demonstrar que a comunicação com o espírito é autêntica. Fornecem a prova de que o espírito é realmente quem diz ser.

Precisamos nos dar conta de que, quando alguém passa para o outro lado da vida, isso não significa que tenha desvendado os segredos do Universo. Na morte, apenas o corpo físico é descartado, assim como nos descartamos de um casaco velho. De fato, a personalidade permanece a mesma, completa, os gostos, preconceitos, talentos e atitudes. Com o tempo, um espírito pode progredir para um nível espiritual mais elevado e talvez iluminar-se. Mas também isso varia bastante de um caso para o outro. Precisamos entender que o conhecimento de um espírito sobre as coisas em geral está apenas um pouco acima da nossa compreensão.

OS ESPÍRITOS NÃO PODEM INTERFERIR NA PROGRESSÃO CÁRMICA

Muitos clientes vêm me ver buscando informações provenientes dos espíritos sobre riqueza, amor ou carreira profissional. Normalmente, aviso-os logo de que podem ficar desapontados. Os seres espirituais podem fornecer ou não a informação. Tudo depende de o espírito saber a resposta e de estar autorizado a revelá-la. Quando uma alma vem à Terra para aprender determinadas lições ou para progredir espiritualmente, nada mais inútil do que um espírito lhe dando soluções para situações que podem ser de um teste. Devemos estar cientes de que existem leis espirituais e um espírito não pode interferir ou tentar influenciar a progressão espiritual – ou cármica – de ninguém. Assim, certos tipos de informação podem estar vedadas ou ocultas para o consulente. O espírito nos ama o suficiente para proteger nosso crescimento.

Vou explicar mais um pouco do que estou falando quando me refiro a lições espirituais:

Uma mulher chamada Marcie veio me ver e sua primeira pergunta foi se deveria ou não ter um bebê. Seu avô veio a nós e disse-lhe:

– Primeiro, mude de residência e vá morar num lugar alto, acima da água. Só depois tenha seu bebê, nunca antes.

A consulente contestou:

– Mas já tenho mais de quarenta anos. O que é que vou fazer?

– Vai acontecer quando Deus quiser... não quando você quiser – respondeu o avô.

Marcie recebeu informações adicionais a respeito de sua mudança de residência e de sua família. Foi-lhe dito insistentemente que tudo aconteceria no devido tempo. Um ano e meio mais tarde, Marcie me fez outra visita. Contou-me que havia recentemente se mudado para uma casa com vista para o oceano Pacífico e já estava no terceiro mês de gravidez.

Um outro caso envolveu uma jovem chamada Nancy, que havia se divorciado recentemente. A mãe de Nancy veio a nós e lhe disse que ela se casaria novamente e, dessa vez, com alguém com quem se desse melhor.

Nancy perguntou:

– Mas onde vou encontrar esse homem? Como ele é?

Sua mãe retrucou:

– Não tenho o direito de lhe dizer isso, mas pode acreditar. É a verdade.

A mãe não podia dar a sua filha as respostas a essas questões vitais porque a jovem precisava passar pelo processo de tomar decisões difíceis por sua própria conta. Talvez, tomar essas decisões a ajudasse em seu crescimento pessoal, no seu fortalecimento.

Uma comunicação bem-sucedida ocorre quando existe um forte desejo de encontrar-se, de ambos os lados. Podemos todos nos comunicar com nossos entes queridos já falecidos. Tudo o que precisamos é abrir a mente e adotar uma postura de mútua compreensão, amor, energia. Quando conseguimos, assombrosas descobertas colocam-se ao nosso alcance.

Nos capítulos 10 e 11, vou explicar como podemos nos preparar para nos tornarmos receptivos à mediunidade, e ensinarei vários exercícios e métodos para nos sintonizarmos nos mundos mais elevados.

Capítulo 3

Guias Espirituais

A espécie humana sempre acreditou na existência de seres elevados, ou anjos. Embora trate-se de uma concepção mitológica, a idéia de alguém nos guardando *lá de cima* é amplamente aceita. De acordo com os textos religiosos, um anjo é uma entidade evoluída, que habita o Paraíso e nos protege contra o perigo imprevisto ou contra desastres. A maioria de nós absorveu a crença nos anjos ainda na infância, quando nos diziam que todos temos um anjo da guarda.

A idéia de um anjo da guarda é apenas um dos poucos truísmos que a religião organizada não destruiu. De fato, possuímos anjos da guarda ou guias que interferem por nós, que nos assistem em nossas missões terrenas. Mas eles não são como nos ensinaram. Nossos anjos da guarda, ou nossos guias, não possuem asas, não ficam sentados em nuvens nem tocam harpas. Essas imagens são originárias da mitologia e foram embelezadas por artistas plásticos. Na verdade, as asas são as belíssimas faixas de cores que circundam os anjos. Você pode dizer que se trata da *aura* ou do campo de energia do anjo, algo que circunda de fato todo ser vivo, desde as plantas, os animais e as árvores, até cada um de nós e nosso precioso planeta Terra.

OS ESPÍRITOS-GUIAS SÃO EXCLUSIVOS PARA CADA PESSOA

Há muitas espécies de guias e, para mim, anjos da guarda e guias são a mesma coisa. Antes de nascermos, traçamos um projeto para nossa jornada na vida. Quando nos desviamos de nosso caminho, um guia nos ajuda a retomá-lo. Dependendo de nossa evolução espiritual – algo bastante individual – e do trabalho que temos pela frente na Terra, reservaremos para nós diversos guias, entre três categorias distintas.

O primeiro grupo de guias são os *guias pessoais*. São pessoas que conhecemos em encarnações anteriores ou com quem, através de muitas existências, desenvolvemos certa afinidade. Esses guias nos assistem, lá do seu plano espiritual, imprimindo em nossa mente meios de nos envolver em diferentes situações. Essas *impressões* são sinais de nossos guias espirituais. Na maioria das vezes, essas sutis indicações passam despercebidas. Mas se dedicarmos algum tempo para nos determos, escutar e avaliar nosso dia-a-dia, podemos começar a enxergar e/ou ouvir essas mensagens espirituais.

Para a maioria das pessoas, é difícil sentir a assistência de um espírito porque querem e/ou esperam por orientações precisas, como se o anjo Gabriel aparecesse tocando sua corneta. Lamento, mas não é assim que acontece. As mensagens e as orientações são sutis, um contato delicado.

A seguir, vou dar um exemplo de como funciona uma comunicação espiritual. É quinta-feira e você tem uma reunião com um sócio em potencial, com vistas a alguma proposta comercial. No caminho, você perde o endereço ou não consegue encontrar o lugar. E isto parece muito estranho, porque você conhece aquele bairro. Depois de meia hora dando voltas, você localiza o edifício, mas não acha uma vaga para estacionar. Finalmente, a muitos quarteirões de distância, consegue parar o carro. Quando chega ao prédio, a portaria está fechada, e você precisa procurar outra entrada. Um segurança abre uma porta, você toma o elevador e, quando desce no andar determinado, o escritório está fechado. Há um bilhete na porta, dizendo que você deve dirigir-se a outra sala, em outro andar. Finalmente, você encontra o escritório e tem a tal reunião com seu sócio em potencial. Você escuta a proposta e, ao longo da conversação, seu estômago começa a doer. Você está sentindo alguma coisa, mas não sabe o que é. Mesmo assim, você fecha o negócio. Muitos meses mais tarde, depois de investir tudo o que juntou na vida, seu sócio foge da cidade levando seu dinheiro, e toda a parafernália do que parecia ser o negócio do século desaparece no ar.

Claro que usei um exemplo bastante exagerado. Mas quis mostrar como funciona a ajuda espiritual. Há um padrão em cada detalhe dessa história – caminhos errados de sobra, informações enganosas, portas fechadas. Se você tivesse parado para observar todas as pistas, teria entendido que *alguém estava tentando lhe dizer alguma coisa!* Seus guias espirituais estavam tentando alertá-lo!

Infelizmente, muitos de nós seguem pela vida como se estivessem caminhando dentro de um nevoeiro e precisam levar uma pancada na cabeça para ficarem atentos a alguma coisa que está acontecendo bem ao seu redor.

Mas, para falar de forma positiva, a orientação espiritual pode acontecer da seguinte forma: já há algum tempo, você está procurando por um emprego. Não tem tido sorte. Uma amiga de quem você não ouve falar há muito telefona, convidando-o para almoçar. Você checa sua agenda e percebe que o único dia que tem disponível é justamente aquele que sua amiga está sugerindo. Quando se encontram, é como se jamais tivessem perdido contato. Tudo parece perfeito. Você lhe conta sobre o que anda querendo, profissionalmente, e ela promete ficar de olho para qualquer oportunidade que lhe possa servir. No dia seguinte, ela telefona e diz que existe uma colocação num departamento da empresa em que trabalha que acabou de ficar vaga. Você imediatamente telefona para marcar uma entrevista, usando o nome de sua amiga como referência. O compromisso é facilmente agendado para o dia seguinte. Você chega para a entrevista na hora marcada. Durante a entrevista, a chefe do departamento, que geralmente se encontra fora da cidade, está disponível para conhecê-lo – bem ali, no ato. Ela chega, gosta de você e você consegue o emprego.

Percebe a diferença? Tudo no segundo exemplo acontece numa

seqüência de felizes coincidências. Só que não acredito em coincidências nem em sorte. Nossos guias espirituais nos conduzem para aquilo que fizemos por merecer. A pessoa em busca do emprego tomou partido dos sinais deixados pelo seu guia. Ela tinha a liberdade de não ir ao encontro da amiga, mas foi. A partir daí tudo se encaixou.

Freqüentemente, recebo mensagens de ajuda semelhantes quando dou consultas. Lembro uma vez em que disse a um consulente que ele havia recentemente comprado uma casa.

– Isso mesmo! – ele me confirmou.

A seguir, disse-lhe que tudo parecia perfeito, em relação à casa, e pedi que recordasse como chegou a comprá-la, se algo lhe parecera estranho. Eu perguntei:

– Alguém acabara de cumprir alguma exigência legal para estar habilitado a vender a casa? Ou será que o banco decidiu lhe oferecer um financiamento em condições excepcionalmente favoráveis?

– Foi exatamente isso o que aconteceu.

Então, contei-lhe que sua falecida esposa o havia ajudado a conseguir a casa, deixando-lhe sinais ao longo do processo.

– Tudo pareceu tão fácil... – ele comentou.

Ele de fato seguira os sinais, mesmo sem estar consciente do que se tratava.

Uma das primeiras pessoas dotadas de poderes psíquicos que encontrei em Los Angeles me disse algo bastante profundo. Lembro disso até hoje e vou dividir com você. *Se tudo está indo bem e parece não haver obstáculo algum, você encontra-se aberto para os espíritos e seguindo a orientação do seu guia. Por outro lado, se nada parece funcionar, você não está escutando a orientação de seus guias e vai terminar seguindo o caminho errado.* Grande verdade.

Um guia pessoal pode também ser alguém que você tenha encontrado nesta existência. Pode ser seu pai ou sua mãe, um avô, um tio ou uma tia, um amigo que já tenha passado para o mundo espiritual. Quando alguém se vai, não pára de pensar em você. Os laços de amor gerados na Terra continuam a existir no mundo espiritual.

Uma vez no Paraíso, um espírito pode rever toda a sua vida e constatar que deveria ter feito mais para ajudar você, quando estava vivo. Agora que tem essa oportunidade, pode tirar proveito de sua condição e ajudá-lo da maneira de que for capaz. Pode ser nos eventos do cotidiano, em assuntos familiares, ou amparando você, em momentos de aflição ou de mudança.

Os guias pessoais possuem meios vigorosos de nos orientar em nosso dia-a-dia ou de nos imprimir na mente o melhor meio de superar alguma dificuldade. No entanto, ao mesmo tempo, é importante perceber que esses seres bem-amados não podem interferir nas lições e nos desafios que nos esperam na Terra, para nossa aprendizagem e crescimento. Este processo nunca é fácil. Para obter maiores benefícios de uma situação em particular, de uma lição para a vida, muitas vezes tudo o que nossos guias fazem é aguardar e observar as decisões que tomamos. Mesmo quando determinada situação parece insuportável, é aí que temos melhores chances de aprender.

Muitas pessoas querem saber se os guias estão conosco o tempo todo ou se temos que nos esforçar para alcançá-los, de forma a chamá-los em nosso auxílio. Minha resposta é: nunca estamos sós. Nossos guias estão sempre junto a nós. Sua missão espiritual é tomar conta de nós e nos ajudar. Os guias podem mudar, com o correr do tempo, dependendo da tarefa em que estamos envolvidos. Mas nunca precisamos chamá-los, porque eles conhecem nossas necessidades e estão sempre dispostos a nos dar a mão.

A segunda categoria de guias é composta de espíritos *especializados,* que vêm a nós por conta de determinadas atividades ou tarefas em que estamos engajados. Guias especializados possuem certo domínio sobre um campo, em especial – algo que estamos desejando empreender. Geralmente, são *experts* em seu campo particular de conhecimento. Por exemplo, se você decidir escrever uma história de mistério, seus pensamentos lhe trarão um autor que ou trabalhou ou mesmo se especializou nesse gênero. Esse guia pode imprimir em sua mente certas técnicas ou caminhos para desenvolver suas habilidades como escritor e para melhor expressar suas idéias. O mesmo vale para músicos, artistas, matemáticos, cientistas, professores, pessoas engajadas em trabalho social e outros. Guias específicos virão a nós se pedirmos sua assistência. Quanto mais você estiver aberto às impressões e às sensações, mais bem-sucedida será a transmissão e o resultado final. Isso funciona com todo mundo. É apenas questão de manter-se receptivo. Todo trabalho, especialmente o dos grandes mestres, é inspirado pelo mundo espiritual.

Por que esses guias desejam nos ajudar? A resposta é simples: esse é o caminho! Quando passamos para o mundo espiritual, nos tornamos conscientes de que cada ser no mundo é nosso *semelhante*. Passamos a querer ajudar a humanidade a crescer, a aprender, a compartilhar idéias, sempre com o sentido de aprimorar-se. Imprimindo seus pensamentos nas mentes dos seres humanos e ajudando-os, os guias espirituais estão auxiliando a humanidade a sintonizar-se na força espiritual que emana de todas as coisas. Mais uma vez, dependendo de quanto você estiver aberto, a inspiração espiritual pode ser excepcional e fantástica, ou pode esperar pacientemente até o dia em que será capaz de percebê-la.

A terceira categoria de guias compõe-se de nossos *mestres espirituais*. Essas entidades podem ser bastante evoluídas espiritualmente, ou podem até mesmo jamais ter vivido no mundo material, ou podem, ainda, ter estado envolvidas em algum aspecto do trabalho espiritual durante muitas encarnações, em sua vida na Terra. Assim como nossos outros guias, eles também são atraídos por nós de maneira variável, dependendo do nível de evolução espiritual e da capacidade de compreensão de cada um. Os mestres espirituais desejam fortemente nos ajudar em nosso progresso espiritual. Freqüentemente, tentam imprimir em nós dons espirituais e nossas potencialidades. Essa orientação tem imensurável valor para qualquer um que está na trilha da iluminação espiritual.

Através de muitas existências físicas, um mesmo mestre espiritual, ou dois, acompanhará a maioria de nós, cuidando da evolução de nossa alma. Esses seres estarão sintonizados com nossa identidade espiritual e nos auxiliarão a obter o crescimento espiritual que nos cabe alcançar no plano terreno, assim como nos prestarão assistência, entre uma vida e outra. Teremos também um mestre espiritual específico durante uma vida determinada. Além disso, baseado na evolução de nossa alma, um guia vem a nós para ajudar em alguma lição importante ou com aspectos de nossa personalidade que precisam ser aperfeiçoados. Por exemplo, podemos ter um guia nos ajudando a aprender a nos envolver incondicionalmente no amor. Ou um mestre espiritual pode nos auxiliar com lições sobre o egoísmo. É muito verdadeiro o ditado: "Quando o aluno está pronto, o professor surgirá."

TORNANDO-ME CONSCIENTE DOS MEUS GUIAS

Foram muitos os caminhos que me levaram a tornar-me consciente de meus guias e de meus mestres. Certa vez, uma clarividente muito dotada chamada Irene Martin-Giles, na Inglaterra, informou-me de que havia uma freira da Ordem das Irmãs da Misericórdia trabalhando comigo para ajudar-me a aprender sobre a compaixão. Seu nome é Irmã Theresa. A clarividente descreveu Irmã Theresa em detalhes, até mesmo o azul brilhante de seus olhos. Quando me contou isso, fiquei estarrecido. Como já narrei, freqüentei uma escola católica por oito anos – uma escola dirigida por irmãs da Ordem da Misericórdia.

Irene prosseguiu, contando-me que um chinês de nome Chang era o meu mestre espiritual. Chang veio a mim muitas vezes, ajudando-me a transmitir mensagens aos meus clientes. Finalmente, Irene começou a fazer um desenho do espírito que enxergou através de seu olho mental. Quando vi o rosto caloroso de Mestre Chang, senti-me atraído amorosamente por ele. Ele usava um pequeno boné, com o topo laranja e a borda azul. Era um tipo de boné muito popular na China do princípio do século. Trajava uma túnica muito longa, azul-cobalto, que o cobria até os pés. A túnica tinha um colarinho de mandarim de cor laranja, que combinava com os punhos da mesma cor. As mãos se entrelaçavam dentro das mangas. O rosto de Mestre Chang era alongado, fino, seus olhos eram castanhos e transmitiam gentileza e sabedoria. Ele usava o cabelo preso atrás em um rabo-de-cavalo bem tradicional na China daquele período. A rigidez de sua cabeça calva era aliviada por um imponente cavanhaque. Em sua túnica, à altura do chakra do coração, havia uma estrela dourada de dez pontas que significava a sabedoria espiritual. No centro da estrela havia uma gema verde que representava amor incondicional. Ele era circundado pela luz dourada própria do mais alto reino espiritual. Essa luz dourada distinguia Chang como um mestre.

Não tinha conhecimento de sua vida terrena mais recente, ou se alguma vez vivera na Terra. Muitas vezes, um espírito veste-se em um estilo característico da época que mais aprecia ou com o qual sente-se mais identificado. Olhando o retrato desenhado de Mestre Chang, percebi tratar-se de um espírito que vivenciara a experiência humana diversas vezes. Era um mestre espiritual, no pleno sentido da expressão.

Conheci outros dois de meus guias de uma forma pouco ortodoxa. Como um médium em formação, era importante aprimorar sempre minha capacidade mediúnica. Para isso, uma vez por semana, promovia uma sessão – eu e seis pessoas escolhidas por mim, sentados numa sala na penumbra. Na verdade, essa rotina, ou algo parecido, é bastante comum entre pessoas dotadas de habilidades psíquicas que visam atingir o pleno desenvolvimento de sua extra-sensorialidade. Na quarta semana de treinamento, durante a sessão, comecei a me sentir extremamente cansado e caí em um leve estado de transe. Nesse estado, a mente consciente se apaga e qualquer sensação proveniente de nosso corpo e de nossos pensamentos desaparece. É mais comum do que imaginamos. Por exemplo, é o que acontece conosco quando nos concentramos num programa de tevê ou quando estamos lendo um livro que não conseguimos largar. O mais comum é entrarmos em estado de transe logo antes de pegarmos no sono.

Meia hora depois, quando saí do transe, perguntei o que havia acontecido. Meu grupo mal podia esperar para me pôr a par de tudo.

– Um médico inglês veio a nós através de você. Disse que seu nome é Harry Aldrich – contou-me um de meus companheiros.

A seguir, disseram que Henry Aldrich viveu na parte noroeste de Londres. Parece que morreu nos anos 30. Um dos participantes do grupo gravou toda a sessão e, quando escutei a fita, mal podia reconhecer minha voz. Ouvi, distintamente, um sotaque britânico e um modo de falar sóbrio, decidido. Ele tinha um certo tom quase ditatorial, mas foi muito acurado nos conselhos que deu sobre minha saúde e sobre as futuras sessões com aquele grupo. Declarou que havia decidido vir a nós para me auxiliar no meu trabalho mediúnico.

Uma das maneiras que esse guia tem de me ajudar é ampliando a energia que rodeia meu corpo físico durante as consultas. Ele também é capaz de identificar enfermidades que meus clientes possam estar sofrendo. Harry Aldrich é um homem gentil, mas consigo identificar sem hesitação sua personalidade autoritária, toda vez que surge.

Algumas semanas mais tarde, estávamos mais uma vez sentados em círculo e eu caí em transe. Outra fantástica manifestação aconteceu. Quando despertei, minha esposa falou:

– Você não vai acreditar no que aconteceu!

– O que foi? – indaguei.

– Um homem surgiu... Chama-se Pena Dourada – ela disse.

– Um índio?

– Um índio norte-americano, para ser exata.

Um dos membros do grupo deu retorno na fita e a seguir apertou o *play*. De fato, não podia acreditar no que meus ouvidos escutavam. Estava ouvindo o som de... tambores!

– Mas de onde vieram esses tambores? – perguntei.

A resposta foi:

– Não havia nenhum tambor aqui! Era esta mesa fazendo o barulho.

No princípio daquela noite havíamos colocado uma mesa no centro da sala. Baixei os olhos para a mesa... Era de fato espantoso que o som inconfundível de um *tum-tum* indígena emergisse daquele móvel.

Continuamos a ouvir o toque dos tambores. De repente, escutei um som vociferante – um índio, cantando em sua língua nativa. Era um som ao mesmo tempo belo e capaz de nos enfeitiçar. Depois de cinco minutos, cessou abruptamente e foi aí que o índio começou a falar:

– Somos todos irmãos. Você e eu somos irmãos. Viemos a você trazendo amor. Tudo é amor. Você precisa ver o amor em todas as coisas. Meu nome é Pena Dourada. Sou da Irmandade. Estamos com você, sempre. Nós lhe trazemos amor. Como sinal, damos uma pena de nosso cocar a cada um, para ser usada como símbolo de nosso amor.

Fiquei ali sentado, estarrecido. Era tão real, e apesar disso não me lembrava de ter dito nenhuma daquelas palavras. Sabia que se tratava de um momento especial e o mais fantástico é que havia sido registrado em um gravador e testemunhado por outras pessoas. Desde essa noite, nosso grupo continuou se reunindo toda terça-feira. Vez por outra, Pena Dourada vinha a nós através de mim, com suas prodigiosas mensagens de amor.

No mínimo, essas experiências me fizeram ter a certeza de que não estou fazendo as coisas sozinho. Sei que existem esses seres espirituais, invisíveis e desconhecidos, que trabalham para o nosso benefício, ajudando-nos, quando precisamos realizar mudanças em nossas vidas. Ajudando-me, meus guias ajudam também a todos aqueles com quem tenho contato.

COMO DESCOBRIR SEUS PRÓPRIOS GUIAS ESPIRITUAIS

Nunca pensei nos meus guias, até que apareceram para mim e outros médiuns os descreveram. Acho que não é necessário saber quem são os seus guias, mas algumas pessoas precisam saber com quem estão falando. É uma maneira de tomar consciência de que alguém *em espírito* está próximo, ajudando. Não é suficiente saber que possuem mestres, querem dar à conexão a forma de uma pessoa. É compreensível. Há muitas técnicas que podem facilitar o reconhecimento dos guias espirituais.

O primeiro passo é a meditação. (No capítulo 11, explico melhor como meditar.) Você pode praticar a meditação com o propósito de conhecer um de seus guias espirituais. Quando conseguir alcançar um estágio suficientemente profundo de relaxamento, comece mentalmente a pedir ao seu mestre ou aos seus mestres que se revelem ao seu olho mental. Se você está suficientemente relaxado e sem grandes expectativas, estará apto a captar com os olhos da mente a imagem do rosto de alguém, ou talvez de alguma parte de suas roupas. Por exemplo, você pode visualizar uma pena e dar-se conta de que ela pertence a um índio americano. Nessa altura, você pode pedir para ver mais alguma coisa e permitir ao seu guia que se mostre. Quando tiver uma visão satisfatória desse seu guia, pode pedir para ver outro. Ou pode pedir a esse primeiro que conte quais lições você deve aprender.

Antes de sair da meditação, agradeça ao seu guia. Sugiro que inicie um diário e que tome nota de todas as revelações que ele lhe fizer, especialmente sobre qual é a missão que seu guia tem junto a você.

O sucesso do primeiro exercício vai depender da profundidade do seu estado de meditação e de relaxamento. Se você encontrar dificuldades para distinguir ou mesmo para enxergar quais são os seus mestres, aqui vai outra maneira de obter essa informação. Quando deitar-se e começar a ficar sonolento, peça ao seu mestre ou aos seus mestres para se mostrarem a você em seus sonhos. Repita o pedido várias e várias vezes, mentalmente, como se fosse um mantra. Quando cair no sono, deverá sonhar com seu mestre ou com seus mestres. Por favor, seja paciente, porque os resultados podem não ser imediatos. Você pode precisar repetir seu pedido toda noite, até conseguir satisfazê-lo.

Parte 2

As Sessões

Capítulo 4

Transições Trágicas

Quando os clientes entram em meu escritório, nunca sei que situação estão vivendo ou a razão de sua visita. E muito menos tenho qualquer conhecimento sobre os eventos das suas vidas ou quem desejam contatar. Ainda assim, em uma hora, terão compartilhado comigo algo de muito íntimo. Sua dor, seu sofrimento, seus grandes desejos – tudo isso será exposto, quando conectarem seus entes queridos. Muitas vezes, durante esses contatos, uma revelação impressionante pode ocorrer. Ganham novo alento, quando descobrem que aqueles que lhe eram tão caros continuam a existir e a comungar com eles o seu dia-a-dia. Para aqueles que ficam no plano terreno, a estrada à frente torna-se, então, mais clara – é como se saíssem de um nevoeiro. De alguma forma, começam a sentir que a vida volta a ter sentido.

O avião

Quando chegam à sessão, muitos de meus clientes estão extremamente perturbados e nervosos. Ainda choram pelos que perderam, sentem-se inseguros do que podem esperar e nervosos sobre o que irão encontrar. Essas fortes vibrações emocionais interferem com a qualidade da comunicação de maneira muito semelhante à estática que um liquidificador ou um aspirador de pó pode gerar em um aparelho de tevê. Para serenar essas vibrações e ajudar a sincronizar as energias presentes na sala, é comum iniciar a sessão conduzindo meus clientes por uma sessão de relaxamento e de meditação, para tranqüilizar suas mentes, ajudandome a comunicar-me com os seres espirituais mais facilmente.

Marilyn estava visivelmente mais calma, quando terminamos a

meditação. A dor enorme que captei no momento em que ela entrou em meu consultório fora substituída por uma receptividade tranqüila. Recebi-a em minha sala de sessões e tentei fazê-la sentir-se o mais à vontade possível. Da forma mais resumida, expliquei-lhe o que deveria esperar. Quase imediatamente, senti uma presença masculina, em pé, ao lado de Marilyn.

– Conhece alguém chamado Roger? – perguntei.

Ela respondeu que esse era o nome de seu marido.

– Eu o vejo, cabelo louro-avermelhado. Ele está sempre penteando-o.

Eu imitei o gesto de pentear o cabelo, e os olhos de Marilyn se encheram de lágrimas.

– Ah, sim... ele fazia assim mesmo...

– Ele está me mostrando a cabine de um avião. Os ponteiros e os medidores do painel deixaram de funcionar. Vejo fumaça... fogo... e tudo apaga. Isso faz algum sentido para você?

Marilyn começou a tremer, levando um lenço de papel aos olhos, para enxugá-los.

– Roger morreu num desastre de avião, faz um ano. Seu avião caiu, durante a noite. Era com ele que eu esperava ter algum contato hoje.

– Ele diz que a ama muito e que estava esperando ansiosamente para conversar com você. Ele está muito animado. Quer lhe desejar um feliz aniversário.

Ela ficou espantada:

– Nosso aniversário de casamento foi na semana passada. Meu Deus!

– Alguém que você conhece está de pé ao lado dele.

Marilyn havia perdido a fala.

– É um garoto pequeno. Seu nome é Tommy. Você o conhece?

Marilyn ficou tão excitada que, praticamente, berrou, ao exclamar:

– Sim, sim... Tommy é o meu filho. Ele estava no avião com Roger. Foi assim que aconteceu... Tommy pediu ao seu pai que o levasse para passear de avião.

– Ele está dizendo: "Mamãe, não fique assustada. Estou aqui com o papai." Ele pede a você que vá ao quarto dele e tire da parede o *poster* do *Guerra nas estrelas*. Ele diz que não precisa mais do *poster*.

Marilyn balançou a cabeça, sem conseguir acreditar:

– O *poster* está pendurado na parede acima da cama...

– Ele acabou de mencionar o nome Bobby... Quer dizer alguma coisa a Bobby...

– É o meu outro filho – explicou Marilyn.

– Tommy está dizendo que não está zangado, de verdade, por Bobby ter tirado sua camisa vermelha da segunda gaveta, nem por ele vesti-la.

Marilyn emudeceu novamente. Perguntei a ela se sabia o que aquilo significava.

– Bobby está usando essa camisa vermelha hoje. Ele a vestiu logo antes de eu sair.

Marilyn ficou convencida de que estava em contato com seu marido e com seu filho. Roger prosseguiu, dando-lhes outras informações. Mencionou o nome de um amigo na força aérea, onde esse amigo estava lotado e quais suas funções.

A perda súbita de um membro da família é uma experiência devastadora. O impacto é ainda mais esmagador quando envolve a perda de um cônjuge e um filho de morte violenta. São feridas difíceis de serem curadas. Ao final da sessão, Marilyn estava sentindo-se muito mais leve. Fui levá-la ao seu carro e ela me disse:

– James, você mudou minha vida! Sinto-me como se uma nuvem negra houvesse saído de cima de mim. Bastou saber que eles estão bem e que estão juntos, para me confortar imensamente. Obrigada.

Eu lhe disse que estava contente por ela ter obtido a informação de que precisava.

Já dentro do carro, ela parou por um instante, então baixou o vidro da janela e me fitou direto nos olhos:

– Para dizer a verdade, é mais do que estar me sentindo melhor... Agora, posso começar a viver outra vez.

Ao sair com o carro, ela estava sorrindo.

Afogamento

Muitas vezes, mal sento-me com meu cliente, o quarto é ocupado pelos espíritos de seus amigos ou de seus familiares, que tentam enviar seus pensamentos, todos ao mesmo tempo. Da mesma maneira que no plano terreno, quando estão todos falando juntos, torna-se difícil decifrar o pensamento de cada um e identificar de quem está chegando a mensagem. Na maioria dos casos, entretanto, se o cliente está pensando em alguém em particular, é exatamente esse espírito que primeiro virá a nós. Mas acontece também, às vezes, de um espírito irromper de repente, surpreendendo enormemente o consulente.

Espíritos que não são aguardados geralmente emergem ao final da sessão. É reconfortante saber que, mesmo no outro lado, boas maneiras são respeitadas. Um espírito que não está sendo aguardado irá esperar até o consulente ter se reunido com seus entes queridos ou até que ocorra uma oportunidade apropriada. Freqüentemente, são os espíritos que chegam sem serem chamados que trazem as mensagens mais interessantes para compartilhar com o consulente.

Mark havia acabado de ter uma magnífica conversa com seu pai, que falecera há vários anos. Fora uma sessão comum, até então – Mark recebera respostas para todas as perguntas que fizera. Quando já me preparava para encerrar a sessão, senti uma outra presença. Perguntei a meu cliente se conhecia alguém chamado Doug.

Mark ficou pálido e só conseguiu balançar a cabeça, murmurando:

– Sim... o que ele está dizendo?

– Diz para você parar de sair na chuva. E pede a você o favor de dizer aos pais dele que ele está bem. Você compreendeu?

Mark assentiu, sempre murmurando:

– Sim... o que mais?

– Ele está dizendo alguma coisa sobre ser pego numa enchente e também que lamenta não ter percebido como era perigosa a situação. É estranho... Ele está falando sobre ter arranjado uma nova bicicleta.

– Eu... estou entendendo...

– Esse garoto morreu afogado? Ele está me passando a sensação de ameaça... um redemoinho... água... Está me mostrando uma imagem dele afundando, vindo à tona, afundando de novo... e seus pulmões... enchendo-se de água.

Pude sentir a opressão em meu peito, à medida que Doug transmitia para meu corpo suas últimas sensações terrenas.

– Estou muito zonzo! Ele está começando a perder a consciência... tudo está escurecendo...

– Minha nossa! – exclamou Mark.

– Você sabe se havia bombeiros, ou alguém tentando salvá-lo, por perto?

– Sim... havia uma turma de salvamento que fez de tudo para içá-lo, em vários trechos do rio.

– Ele está contando... que tentou agarrar-se a uma corda, mas não conseguiu alcançá-la.

– Mais alguma coisa? – perguntou Mark, muito sombrio.

– Está pedindo para você dar um abraço em Max. Isso faz sentido?

– Meu Deus! Max é meu filho... Doug costumava cuidar dele, quando saíamos. Eles se tornaram grandes amigos. É incrível!

– Ele está falando sobre a Flórida. Está me mostrando um boné de beisebol, que tem alguma coisa a ver com... Não estou entendendo. Espere um pouco. Ele está me transmitindo um pensamento... está dizendo... Marla ou Marlin.

– Os Florida Marlins – berrou Mark. – Acabei de dar a Max um boné de beisebol que pertencia a Doug. Era um boné dos Florida Marlins. Max o adora, porque o lembra Doug.

– Ele espera que Max aproveite bem o presente. E está pedindo a Max para dar um abraço em todos os outros garotos da rua.

Mark explicou que todos gostavam de Doug. Era um garoto maluco por todo tipo de esporte e todos os garotos da vizinhança o adoravam.

– Doug está falando de novo sobre uma nova bicicleta. Ele está apaixonado por sua nova bicicleta e... não sei por quê... – confessei – ele não pára de falar nesse assunto.

A essa altura, Mark estava sentado na beirada da cadeira.

– Não dá para acreditar! – ele exclamou. – Tudo aconteceu por causa da tal bicicleta. Ele ganhou uma bicicleta nova dois dias antes de a tempestade desabar. A chuva parou e Doug foi pedalando até a margem do rio checar o que a enchente havia carregado. Mas parece que chegou perto demais e a bicicleta foi pega pela água. Ele tentou recuperá-la e então caiu no rio também. A correnteza estava muito forte e carregou-o.

– Ele quer que você mande um beijo para Linda.

– Linda é minha mulher. Vou dar o recado.

– Ele está feliz que você tenha vindo aqui e quer que conte a todos que ele está muito bem.

– Deixa comigo, amigão! – Mark assegurou, voltando seu olhar para o alto.

Poucos dias mais tarde, recebi um telefonema da família de Doug. Estavam impressionados com o detalhamento das informações que haviam obtido de Mark, que não haviam sido divulgadas pelas emissoras de tevê e das quais ninguém mais sabia. Marcaram uma consulta comigo e, semanas mais tarde, estavam conversando com seu filho e se certificando de que ele, agora, desfrutava de um outro tipo de existência. Como o próprio Doug explicou a seus pais, sua vida não havia terminado naquela enchente causada pela chuva. Ele lhes disse que estava planejando terminar a escola e até mesmo arrumar uma namorada, algum dia. Seus pais ficaram felizes por constatar que Doug continuava a viver.

Não é o que você pensa

Quando estava escrevendo este livro, precisei rever muitos anos de minha atividade, um número incontável de sessões, com o objetivo de apresentar o que considerava como sendo os tipos mais comuns de encontros entre pessoas saudosas e aqueles que haviam atravessado o véu da morte. Nessa minha pesquisa, deparei-me com determinadas sessões que se destacavam das demais. Talvez por serem muito particulares, ou por demonstrarem certos poderes miraculosos dos espíritos, ou porque a comunicação mantida durante essas sessões trouxera fatos ou revelações surpreendentes.

A sessão a seguir exemplifica magnificamente esse último caso. É a história de um casal cuja vida foi despedaçada pela morte de seu filho. Foi uma morte que provocou mais perguntas do que respostas. O espírito de seu filho ficou extremamente agradecido pela oportunidade de esclarecer seus pais a respeito dos incidentes controversos que cercaram sua morte. Ao final da sessão, foi não apenas capaz de restabelecer a paz de espírito de seus pais como também, o mais importante, sua alma, finalmente, pôde descansar.

Alan e Sandra vieram até mim por recomendação de amigos. Pareciam muito céticos e muito inseguros quanto a se envolverem em algo tão insólito (para eles) quanto o espiritualismo. Eu fiz a minha introdução de costume, explicando como recebo as informações, o que se pode e o que não se pode esperar. Eles escutaram com atenção e entenderam que deveriam estar preparados para o que quer que fosse acontecer.

A primeira pessoa que captei foi a mãe de Sandra. Eu avisei:

– Sandra, sua mãe está aqui. Ela a acompanha muito de perto e diz para você ter cuidado com aquela faca na cozinha.

– Meu Deus! – exclamou Sandra. – Eu a estava afiando hoje e quase cortei meu dedo. Ela estava me observando?

Eu respondi:

– Só podia ser a sua mãe, porque eu não estava na sua cozinha.

Sandra sorriu e sua mãe continuou me enviando mensagens.

– Sua mãe diz que gostou muito dos novos móveis do pátio.

– Sim, isso mesmo. Acabamos de comprar alguns móveis. Minha mãe gostava muito de sentar-se no pátio quando morava conosco.

– Ela tem muito senso de humor. Acabou de dizer que se sentava ali esperando a morte.

Subitamente, fui interrompido pelos pensamentos de outro espírito que insistia em ser ouvido.

– Sim, eu escuto você... – disse ao espírito. – Há alguém com a sua mãe, Sandra. É um jovem... alguém que viveu muito pouco. Sua mãe me diz agora que você esteve chamando por ele.

Os olhos do casal encheram-se de lágrimas. Prossegui, perguntando:

– O nome Steven quer dizer alguma coisa para vocês?

Eles ficaram pálidos e começaram a chorar. Steven era o filho do casal e, aliás, a principal razão de terem vindo me ver.

– Steven está muito agitado! – continuei. – Ele não se sente em paz. Tem tentado chegar a vocês há algum tempo. Ele teria falecido há dois anos, aproximadamente?

– Não... faz apenas dez meses, quase um ano.

– Hum... Ele diz que sabe que sua morte destruiu a vida de vocês também e diz que lamenta muito pelo que passaram. Ele tentou corrigir um erro... Não sei do que está falando. Vocês entendem?

– Acho que sim – disse Allan. – O que mais ele está dizendo?

– Nossa... Ele está me enviando uma sensação fortíssima de ardência. Sinto como se minha cabeça fosse estourada... reduzida a pedaços. Sinto muito, mas essa é a sensação que ele está me transmitindo. Ele levou um tiro? Foi isso?

– Sim...

– Steven diz que foi encontrado morto em seu quarto...

– Foi isso mesmo!

Ambos enxugaram os olhos.

– Sinto muito ter que lhes contar isso... Mas creio que seu filho estava envolvido com drogas... ou pelo menos que as vinha experimentando.

– Nós descobrimos isso também! – afirmou Sandra.

– Seu filho é muito forte. Ele está gritando... foi Ronnie! Quem é Ronnie?

– Era um de seus amigos.

Foi então que transmiti a informação que mudou completamente a atmosfera daquela sala, não apenas os sentimentos do casal, mas mesmo os meus.

– Seu relógio. Ele está falando sobre seu relógio de ouro...

– Não conseguimos encontrá-lo, depois que Steven morreu – explicou Allan. – E procuramos em todos os cantos.

– Seu filho o deu a Ronnie, como pagamento. Ronnie estava muito zangado. Sabem se houve alguma briga entre eles?

– Não...

– Steven está gritando para mim: "Eu não me matei. Foi Ronnie. Foi ele que fez isso comigo!"

Baixou um silêncio quase mortal entre nós. Não conseguíamos acreditar no que havia sido dito. É muito raro um espírito vir até nós para revelar o nome de seu assassino. Nesse caso, Steven queria justiça. Recostei-me em minha cadeira e tentei me recompor, antes de continuar.

– Steven está dizendo alguma coisa sobre suicídio. Vocês acreditam que ele cometeu suicídio?

Ambos confessaram que sim...

– Seu filho está tentando dizer que estão enganados. Ele não se mataria. A polícia chegou a questionar a hipótese de suicídio?

– Não – disse Sandra. – Foi o que todos acreditamos. Que Steven se matou porque estava envolvido com drogas. Acharam drogas em suas roupas.

– Estou captando com muita clareza que seu filho e esse garoto chamado Ronnie tiveram uma briga a respeito de drogas e de dinheiro. Alan, você possui uma pistola? Uma arma pequena?

– Sim... foi essa a arma utilizada...

– Ele me disse que a apanhou de uma gaveta do fundo do armário. É isso mesmo?

– Jesus Cristo! Como é que você poderia saber disso? Sim, foi isso mesmo.

– Sabem se esse Ronnie tem antecedentes criminais?

– Acho que não... – falou Sandra.

– Seu filho continua a me mostrar uma briga, por causa de dinheiro. Steven devia dinheiro a Ronnie. Este rapaz estava realmente perturbado, sob efeito de alguma substância, na hora. Seu filho agora está me mostrando uma garagem. É uma garagem de tijolos, com uma porta branca. Tem três janelas pequenas. Ele a abre e vai em direção a uma parede lateral, para a esquerda.

– Mas nós não temos uma garagem. O que quer dizer isso?

– Não sei. Mas guardem isso... Por favor. Pode fazer sentido mais tarde. Seu filho está bem e feliz agora, por ter lhes contado isso. Ele disse que vocês compreenderão tudo, algum dia. Peguem o tal Ronnie. Steven está mencionando um nome... Sharon, ou Sherry...

– É a irmã de Ronnie – informou Alan.

– Ela acabou de ter um bebê, por acaso?

– Não...

– Bem, não sei o que significa. Mas guardem a informação e verifiquem se fará sentido, mais tarde. Sua mãe está *entrando* de novo. Ela diz que vocês ajudaram muito ao Steven. Ele está bem, agora.

– Obrigada... – murmurou Sandra.

– Está me mostrando agora alguma coisa... que tem a ver com descascar batatas...

– Eu estava fazendo ontem uma sopa de batatas. A receita é da minha mãe. Pensei muito nela.

– Ela me disse que ficou uma delícia.

Ambos sorriram. A sessão prosseguiu por mais um pouco. Steven falou a respeito do seu funeral e quanto desejou que sua mãe não sofresse tanto, à beira do túmulo. Enfim, encerramos e nos despedimos. O casal estava convencido de que fizera contato com seu filho. Garantiram que escutariam a fita outra vez para tentar entender melhor a incrível informação recebida.

Muitos meses mais tarde, recebi um telefonema de Sandra. Ela queria agradecer a ajuda que sua família recebera de mim e me pôr a par de tudo o que acontecera, nesse ínterim. Eles haviam contatado a polícia e conversaram com um detetive que sabia da morte de seu filho. O detetive foi investigar a história sobre Ronnie. Quando visitou a casa de Ronnie, encontrou a garagem de tijolos com as três janelas. À esquerda, por trás de um painel de parede, havia um quilo de heroína escondida, além de outras drogas, e o relógio de ouro de Steven. O detetive levou Ronnie em custódia e, depois de interrogado, o rapaz finalmente admitiu que Steven lhe devia algum dinheiro, por compra de drogas. Steven ofereceu-lhe seu relógio como pagamento. Ronnie ficou com ele, mas ainda exigia mais – queria dinheiro. Certo dia, Ronnie foi à casa de Steven querendo receber, e Steven pegou o revólver de seu pai para se proteger. Quando Steven disse a Ronnie que não tinha mais dinheiro, Ronnie tomou-lhe a arma e disparou-lhe um tiro na cabeça. Ronnie admitiu também que estava sob o efeito de drogas, na ocasião. Ele foi julgado e está cumprindo sentença de prisão perpétua em uma penitenciária estadual.

O fuzileiro naval

As pessoas deixam esta vida de variadas formas. Algumas se vão serenamente, durante o sono, outras tomam a iniciativa, outras ainda sofrem algum tipo de acidente. Embora escolhamos a maneira como vamos morrer muito antes de entrar no plano terreno, nenhuma parece mais trágica do que uma transição violenta. Pelo menos é a que parece exercer maior impacto sobre aqueles que ainda permanecem na forma física.

Em muitos casos, uma pessoa que parte violentamente ou de modo súbito não está ciente de que o processo da morte ocorreu. O trauma acontece tão repentinamente que o corpo espiritual pode ser literalmente arrancado do corpo físico. O espírito pode até mesmo permanecer desconhecendo sua nova situação por muitos anos. Durante esse tempo, um espírito pode visitar todos os lugares familiares à sua existência terrena e pode até mesmo acreditar que ainda esteja vivo, talvez sonhando. Chama-se a esse fenômeno espiritual de *alma perdida* ou, como muitos o denominam, *fantasmas*. Se um espírito está atormentado, infeliz ou sem descanso, nós o colocamos na categoria do *poltergeist*. Felizmente, muitos espíritos no outro lado empenham-se em resgatar essas almas perdidas e confusas.

Existem diversas maneiras de se lidar com as almas perdidas, quando passam a perturbar-nos. É só lembrar que possuem a força e a capacidade de controle que lhes permitirmos ter. Você está sempre no comando e precisa conscientizar-se disso a cada momento. Na maioria dos casos de *poltergeist*, o espírito não se dá conta de que já não pertence ao mundo físico – assim, deve-se sempre iniciar o contato com essa idéia. E também cada espírito passou por determinada série de circunstâncias, cercando sua morte. O que aconselho é ir ao lugar da casa mais afetado pelos distúrbios. O tempo necessário para se remover esse tipo de energia varia de caso para caso. Antes de começar, aconselho-o a realizar um ritual de proteção e pedir aos seus guias espirituais e anjos da guarda para permanecerem com você e para auxiliá-lo. Isso deve anteceder qualquer trabalho do tipo mais intuitivo.

A primeira coisa a fazer é gerar dentro da casa ou do aposento uma atmosfera apropriada, elevando as vibrações naquela área localizada. Isso pode ser conseguido, por exemplo, colocando-se para tocar músicas espiritualizadas e religiosas, ou algum hino, ou canção de elevada vibração espiritual. A seguir, purifique a área afetada. Queimar artemísia no aposento é recomendável. Outras essências também são eficazes, tais como olíbano e mirra. Esses três aromas são sensíveis a freqüências extremamente altas e ajudam a remover as energias negativas. Em terceiro lugar, ilumine o local com o máximo de luz natural que você puder conseguir. Erga as persianas e abra as cortinas. Finalmente, é importante meditar, para alcançar o espírito perturbado. Não é preciso vê-lo ou senti-lo, convença-o de que ele já passou para outra dimensão e diga-lhe para pedir a um parente que o guie para a próxima dimensão. Recorde muitas vezes ao espírito atormentado que ele não precisa permanecer no lado terreno do véu e que tem a possibilidade de ir para um lugar muito mais feliz, no mundo espiritual, onde nunca mais se sentirá escravizado a nada. Por favor, assegure-se de enviar esses pensamentos ao espírito com amor e compaixão. Dependendo da gravidade da situação, uma *limpeza* poderá durar alguns dias ou mesmo semanas.

Existem também muitas situações em que a pessoa se vai violentamente, como no caso de um assassinato. O espírito, normalmente, toma conhecimento de sua nova condição depois de um breve período de ajustamento. De maneira geral, um parente ou um guia vem ao encontro do espírito, de imediato. As sessões que se seguem oferecem uma descrição única por parte de um espírito que descreve sua própria morte.

Antes de prosseguir, é importante salientar que, toda vez que dou uma consulta, transmito ao consulente tudo aquilo que passa por minha cabeça. Tenho um acordo com o mundo espiritual – se eles me passam uma informação, então é cabível que eu a transmita às pessoas que vieram consultar-se comigo. Sou apenas um médium. Não faz parte do meu trabalho censurar a informação que me é dada. Além do mais, pode haver um fato em particular que o consulente não entenda, se eu não lhe contar tudo. Portanto, descrevo, e da maneira mais vívida de que sou capaz, os detalhes visuais, as cenas, incluindo as cores e todos os sentimentos, mesmo os que não forem alegres e reconfortantes.

Um jovem veio ao meu consultório por recomendação de um amigo. Não conhecia nada a respeito dele, assim como não compreendi a ansiedade que captei, *do outro lado*. Alguém desejava falar urgentemente. Foi assim que começamos...

– Parece que você está bastante separado da sua família. É verdade? Quero dizer, será que eles vivem em outro estado?

– Sim! – ele respondeu.

– O nome Laura significa alguma coisa para você?

– Sim, é minha irmã. Ela mora no Arizona.

– Não sei por quê, mas sinto a necessidade de me ater à vibração familiar. Há três filhos na família? Dois rapazes e uma moça?

– Sim... quer dizer... havia!

– Sim... Estou captando uma vibração muito forte aqui... Um jovem. Acho que é seu irmão. Isso está correto?

– Estava pensando nele...

– Ele me dá o nome de Mike... é isso mesmo?

Meu jovem consulente começou a ficar agitado...

– Sim! Esse é o nome dele!

– Ele está dizendo que está bem, e muito feliz por você ter vindo aqui hoje. Ele quer que diga aos seus pais que ele está bem. Ele está mencionando... Texas.

– É onde meus pais vivem. Fui criado lá. Como Mike está?

– Muito bem... Acha difícil acreditar que posso ouvi-lo. Tem desejado comunicar-se há tanto tempo... Ele encontrou-se com alguns amigos, no mundo espiritual. Amigos do exército. Seus colegas... Você compreende isso?

– Sim, claro. Por favor, continue.

– Ele esteve no Vietnã? Está falando muito rápido a respeito da guerra. A Guerra do Vietnã. Ele diz que se juntou aos seus companheiros da tropa do Vietnã. Ele não queria ir para lá.

– É isso mesmo! Eu era muito jovem, naquela época, mas minha mãe me contou que Mike não queria ir para a guerra.

– Parece que ele faleceu muito repentinamente.

Senti-me mergulhando em um transe profundo. Fui visualmente lançado dentro de um mundo de dor e fogo. Estava no Vietnã e parecia que tudo em volta havia enlouquecido. Bem junto a mim, escutei uma explosão muito forte. Olhei para o meu cliente e lhe disse que teria que parar por um minuto. Pedi aos meus guias que removessem a experiência dessa morte de minha lembrança – estava afetando demasiadamente meu corpo físico. Meus guias imediatamente a levaram embora. A cena recomeçou, mas agora eu era apenas um observador.

– Surgiu para mim um homem no meio da mata. Está muito escuro. Creio que o homem é seu irmão. Ele parece muito nervoso. Ele está marchando com o resto da tropa. Ele tenta tirar o casaco, mas parece que o casaco ficou preso em alguma coisa pendendo do cinto.

Meu cliente tentava inutilmente prender as lágrimas. Ele já adivinhara que eu estava lhe descrevendo a cena da morte de seu irmão. Vi a argola sendo arrancada da granada pelo zíper do casaco. O ar explodiu com toda violência, atravessando o corpo do soldado e ele foi decapitado. A cena se apagou...

Encarei meu cliente:

– Seu irmão foi morto por uma granada que explodiu por ter ficado presa em suas roupas?

O rapaz recostou-se, abalado, na cadeira. Sua boca movia-se vagarosamente, tentando dar forma às palavras:

– Sim, foi isso que o relatório do governo registrou.

Não podia acreditar. Nunca havia experimentado uma visualização tão vívida. Era difícil conter minha excitação. Mesmo assim, prossegui.

– É impressionante! Seu irmão é um comunicador fantástico. Espere... vamos ver o que mais ele quer nos dizer. Ele está descrevendo como se sentiu, ao despertar. Ele diz que parece terem transcorrido apenas um ou dois segundos, quando voltou a si. Ele olhou em volta e deu-se conta de que se sentia diferente. Não estava mais tão cansado. Viu então um grupo de seus companheiros de pelotão em pé, formando um círculo e gritando. Mas não conseguiu escutar o que diziam, até que se aproximou. Estavam chamando por seu nome: “Mike! Mike!” Ele lhes respondeu, mas não podiam escutá-lo. Ele se aproximou do círculo e percebeu que estavam olhando para baixo, para o que restava de uma carcaça humana. De repente, uma sensação estranha e lúgubre percorreu seu corpo. Olhou para a plaqueta de identificação que um colega de pelotão tinha entre os dedos. Seu nome estava gravado nela.

Meu consulente estava fascinado.

– É incrível. Ele de fato compreendeu o que estava acontecendo?

– Ele diz que estava um pouco confuso, mas se deu conta de que estava morto. Está descrevendo uma sensação de muita paz e serenidade. Espere... Ele me pede para lhe dizer que foi Alice quem lhe deu as boas-vindas. Você conhece alguma Alice?

– É a nossa avó.

– Bem, Alice veio ajudá-lo. Ele estava em estado de choque e, ao mesmo tempo, feliz e aliviado. Ele conta que ela ficou junto a ele. E também me pede para lhe dizer que viu Pappy e que ele ainda tem Jo Jo com ele.

– Pappy era nosso avô e Jo Jo o seu pastor alemão. Mike e Jo Jo estavam sempre juntos. É inacreditável. Então, os animais também continuam a viver?

– Todas as criaturas vivas... Seu irmão quer que eu lhe diga que lamenta ter causado tanta dor e preocupação, mas que vocês podem estar certos de que ele está bem e vivendo plenamente.

– Diga a ele que não precisa lamentar nada... E também que todos nós o amamos muito e que estamos felizes que ele esteja por perto. Estamos ansiosos para revê-lo, algum dia.

– Ele diz que todos lá estarão esperando por esse dia... até... ele está rindo... até Jo Jo.

Quando um animal nos chega durante uma consulta, como neste caso, isso sempre deixa o cliente perplexo. Nunca imaginamos que nosso pequeno Totó ou o Pintado possam sobreviver à morte. Mas, por que não? Os animais são feitos da mesma força divina que os seres humanos. Quando um animal atravessa para o nosso lado, sua vibração é semelhante à que posso ler nos seres humanos. Os traços da personalidade de um animal chegam com muita clareza para mim. Muitas vezes, um animal irá expressar o quanto amava determinado tipo de comida ou como gostava de sentar-se numa determinada cadeira. Como seus companheiros humanos, ocasionalmente um animal poderá descrever em detalhes como morreu ou como era difícil engolir a comida quando ficava doente, ou caminhar no fim da vida.

A seguir, uma bela história sobre uma consulta realizada por um médium inglês já falecido. Acredito que ela demonstra o verdadeiro significado do amor incondicional que os animais nos devotam.

Havia, há muito tempo, um modesto fazendeiro que vivia na Inglaterra. Como ocasionalmente acontece, atravessou um período ruim e acabou perdendo sua fazenda. Todos em sua família morreram. Tudo o que lhe restou foi sua égua já mal das pernas, uma égua branca chamada Patty, que ele ajudou a vir ao mundo. Patty e o fazendeiro permaneceram juntos por muitos e muitos anos, até chegar o dia em que o cavalo se foi também. O fazendeiro, agora completamente só, ficou muito transtornado. Anos mais tarde, quando chegou sua hora, o fazendeiro acordou já como espírito e encontrou-se sentado num belíssimo prado. Ele não sabia onde estava e imaginou que poderia estar sonhando. Olhou para o alto de um morro, a distância... E de repente um cavalo surgiu de trás daquele morro e veio galopando em sua direção. Era a sua velha amiga Patty, mas não o velho animal alquebrado e com artrite de que ele lembrava. Em vez disso, era uma égua com o pêlo brilhante, jovem e vigorosa. Quando a égua chegou mais perto, o fazendeiro finalmente a reconheceu e sentiu-se tomado pelo amor que sentia por Patty. Foi o amor de Patty que o guiou para o mundo espiritual.

Os laços de amor entre nós e nossos animais queridos nos acompanham, quando vamos para o outro lado. Laços de amor, não importa com quem, são sempre imortais.

Capítulo 5

Acidentes Fatais

Algum dia, todos retornaremos ao nosso lar espiritual – disso podemos estar certos. No entanto, a maneira como vamos deixar o plano terreno, e para onde iremos, varia de pessoa para pessoa. Muitos deixam seus corpos de uma maneira trágica e inesperada, como aconteceu com Mike, no Vietnã. Infelizmente, mais pessoas ainda morrem em acidentes de carro. Como intermediário entre o mundo espiritual e o terreno, recebi a impressão mental de muitos pensamentos de pessoas que morreram em acidentes. Por que isso ocorre é que precisa ser explicado.

Em primeiro lugar, *não* existem acidentes. Acontecimentos desse tipo são resultado direto das leis espirituais de causa e efeito, ou do carma. Permitam-me explicar melhor: uma pessoa vai para uma festa e toma conscientemente a decisão de beber. Depois de bastante intoxicada, resolve ir dirigindo para casa. Ao mesmo tempo, um casal está voltando do cinema. A pessoa embriagada não consegue enxergar direito e não vê o carro vindo em sua direção. Infelizmente, colidem – batem em cheio –, matando o casal instantaneamente.

Nesse contexto, pode-se considerar que o acidente foi efeito ou resultado da decisão de beber daquela pessoa. Sua imprudência causou a tragédia e ela tornou-se responsável pela morte de duas pessoas. Essa é uma situação cármica. Ela se verá forçada a oferecer uma espécie de compensação – ou equilíbrio – em uma outra existência, por ter posto fim à vida daquele casal. Em outras palavras, todas as nossas ações são cobradas, como crédito ou débito, nesta vida ou em outra. Essa lei de causa e efeito é lei natural, imutável, do Universo. Há uma conseqüência para cada uma de nossas ações, uma conseqüência cármica – ou um desígnio divino, se você preferir.

Um acidente ou mesmo um desastre natural pode não ser aquilo que parece. Nada acontece por acaso. As coisas são sempre baseadas em obrigações cármicas, e uma alma, ou um grupo de almas, faz um acordo quando ainda é um espírito, antes de entrar no mundo físico. Tudo na vida faz parte de um plano espiritual. Tudo tem o objetivo de fazer-nos aprender com nossas experiências. Para compreender o sentido pleno da vida, toda alma deve experimentá-la. Por isso, uma alma deve passar tanto por experiências positivas quanto por negativas. Todo mundo deve aprender a dualidade da natureza. É através do negativo que aprendemos a apreciar o positivo.

Com isso em mente, certas almas concordam, ainda enquanto espíritos, em vivenciar alguma espécie de desastre natural, ou uma queda de avião, ou seja, concordam em deixar seus corpos dessa forma. Trata-se de uma decisão consciente? Não, acho que isso seria impossível. Nossos egos não permitiriam que nossos corpos sofressem tal agressão. Uma outra maneira de olhar os desastres e acidentes é: essas almas podem estar finalizando um carma passado, algo pendente que trouxeram de outra existência. Então, ainda aqui, fica a pergunta: seria esse acidente ou desastre alguma forma de auxílio a outras pessoas? Em outras palavras, como a família e os amigos próximos seriam afetados por essa morte? Poderia a morte de um ente querido ser valiosa para o desenvolvimento espiritual dos que ficam? Não somos capazes de entender essas coisas com nossa mente racional porque são assuntos de natureza espiritual. Pode ser suficiente dizer que nossas vidas são parte de um contexto muito maior que não podemos compreender profundamente.

Muito freqüentemente, alguns clientes vêm a mim perguntando se seus entes queridos sofreram alguma dor, no momento do impacto. Na maioria dos casos, o espírito como que desfalece e não lembra nada. É muito comum os espíritos contarem que viram o veículo acidentado e ficaram se perguntando quem seriam aquelas pobres pessoas mortas. Até darem-se conta de que já não estão entre os vivos, não percebem que foram eles que sofreram a experiência.

Quando os espíritos tomam conhecimento de sua própria morte, a princípio podem ficar muito contrariados, para dizer o mínimo, principalmente quando ainda se sentem como se estivessem vivos. Quando a morte acontece por acidente, e um espírito é literalmente lançado para fora do seu corpo, um parente, um amigo ou um guia estará sempre por perto, para ajudá-lo na transição que a morte representa. Logo o indivíduo compreende que existe vida na forma espiritual. Olha para o seu corpo espiritual e percebe que este tem a mesma forma que seu corpo físico. Algumas vezes, um espírito pode despertar em um hospital – não se trata de um hospital nos moldes terrenos – e ser recebido por um parente ou amigo morto que lhe dá as boas-vindas e o informa de que ele faleceu em um acidente.

É preciso estar ciente de que em qualquer morte, especialmente nas repentinas, um espírito precisa de assistência e compreensão para adaptar-se ao novo ambiente. Graças a Deus, existem sempre belas almas para ajudá-lo. Seriam o equivalente a assistentes sociais ou terapeutas, porque, assim como eles, os espíritos dedicados à assistência ajudam mentalmente os que chegam a esse domínio tão pouco familiar.

Quando trabalho com pais ainda de luto, ouço-os dizer que a perda de uma criança é a pior experiência que alguém pode passar na vida. Ninguém está preparado para a morte de um filho. Os pais, imersos em dor, culpam-se inevitavelmente pela morte da criança, como se fossem capazes de evitá-la. Mas somente Deus possui tal poder.

Como veremos na sessão que se segue, um filho tenta assegurar à sua mãe de que está bem e de que não deve se culpar por sua morte. Com palavras de amor, com o riso e informações compartilhadas apenas entre eles, o garoto buscará confortá-la.

Quando a sessão terminou, percebi uma mudança radical na mãe. Não chorava mais e conseguiu encontrar sua paz.

Garoto na motocicleta

Essa sessão aconteceu na casa de uma consulente. Havia oito pessoas no grupo. Nunca encontrara aquelas pessoas nem tinha qualquer conhecimento sobre quem queriam contatar.

Depois de três manifestações, subitamente virei minha cabeça para a esquerda, na sala, e reparei em uma senhora sentada no sofá. Ela estava chorando.

– Posso me aproximar? – perguntei.

Ela parecia hesitante, mas respondeu:

– Claro, tudo bem.

– Há um jovem louro, que tem estado sentado nesse sofá com você a noite toda. Você sabe de quem se trata?

– Creio que sim...

– Ele me disse que seu nome é Stephen. O nome significa alguma coisa para você?

A mulher começou a chorar convulsivamente e disse:

– Sim, é o meu filho.

Eu continuei:

– Ele parece ter um excelente senso de humor e um riso muito solto. Isso é familiar?

– Muito...

– Seu senso de humor é um tanto ferino... Ou picante, entende o que quero dizer?

A mulher balançou a cabeça afirmativamente. Ela sorriu, suavemente. Já havia se convencido de que estava em comunicação com seu filho.

– Ele manda um abraço para Diane... e diz alguma coisa a respeito de uma festa...

– Diane era sua namorada.

A mulher refletiu um pouco sobre a referência a respeito da festa, mas não conseguiu descobrir do que se tratava. De repente, exclamou:

– Meu Deus! Diane estava em uma festa com ele, na noite em que meu filho morreu. Era uma festa na casa de amigos.

– Ele está me mostrando uma motocicleta, numa estrada com asfalto derrapante... Você sabe do que se trata?

– Sim... – ela respondeu.

– Ele faz uma curva, muito veloz, depois desce uma lombada... Hum... Você sabe... ele tornava-se um pouco imprudente, quando andava de motocicleta.

A mulher continuava assentindo de cabeça e escutando...

– O que significa Greenleaf...? Ele está me mostrando uma placa com esse nome.

– É o nome da rua onde aconteceu o acidente.

– Sim... Agora ele me mostra um carro... de cor azul-escura... A motocicleta chocou-se com o carro? Foi isso?

– Foi. Stephen foi atirado fora da moto e entrou por debaixo do carro. – Ela praticamente desmoronou diante de mim, ao contar isso.

– Stephen quer que eu lhe diga que ele adorou a fotografia no Livro Anual de sua escola, com a bela inscrição embaixo.

– Sim... temos uma fotografia igual, pendurada na parede da sala.

– Ele quer que você saiba de uma coisa muito importante. Ele diz que você carrega muita culpa, pelo acidente, e que isso é errado. Você não foi responsável por nada.

– Bem... Se eu tivesse telefonado para ele, naquela noite, talvez não houvesse ido para a tal festa.

– Stephen está dizendo que teria ido de qualquer jeito. Você sabe disso. Ele sempre fez o que quis.

– Sim, é verdade – ela retrucou. – Ele está certo. Acho que não havia mesmo jeito de evitar o acidente. Eu apenas sinto um pesar muito grande... por não ter podido fazer nada.

– E você compreende que não foi sua culpa?

– Sim, agora eu compreendo... Obrigada. Ela balançou a cabeça e continuou escutando.

Stephen mencionou diversas coisas que sua mãe sabia que seu pai e sua irmã iriam reconhecer. Até esse momento, tratou-se apenas de uma manifestação, como muitas outras. A informação que chegou a seguir, entretanto, foi intrigante e quase inacreditável. Stephen revelou-se um comunicador excepcional – do tipo que é o melhor amigo dos médiuns. Era capaz de descrever em detalhes as coisas, sempre imprimindo-lhes o tom carinhoso e divertido que fazia parte de sua personalidade.

– Stephen está mandando um abraço para seus amigos. Meu Deus, ele tinha uma porção de amigos.

– Tinha sim...

– Você sabia que os amigos dele promoveram reservadamente uma cerimônia fúnebre para ele?

– Acho que não... Quer dizer... Eles colocaram flores no local do acidente, mas...

– Ele está me mostrando as iniciais J.D., e alguém está erguendo um brinde. Não sei o que pode significar isso...

A mulher começou a rir e exclamou:

– Ah, sim... seus amigos pularam a cerca do cemitério e entornaram uma garrafa de Jack Daniel's na beira do túmulo dele. Acho que isso poderia ser chamado de uma cerimônia fúnebre...

Todos na sala riram. E aproximaram-se da mulher para abraçá-la. Stephen assegurou-lhe que ficaria junto dela todo o tempo e pediu-lhe para *ir manso* nas coisas. Sua mãe levantou os olhos para o teto e começou a falar diretamente com Stephen. Ela tornara-se não apenas capaz de aceitar sua morte como se livrara de sua culpa irracional. Ela estava contente de saber que o filho a acompanhava a todo momento.

A animadora de torcida

Da mesma forma como acontece no plano terreno, igualmente no reino espiritual, quando certas coisas incomodam, sente-se que é preciso resolvê-las. Quando passamos para o mundo espiritual, nossa existência continua baseada em pensamentos e ações de nossa vida terrena. Se fizemos alguma coisa da qual nos envergonhamos, quando estávamos na forma física, nosso sentimento negativo a respeito daquele evento, ou os efeitos deste sobre nós, pode permanecer em nossa consciência por muito tempo.

Se morremos deixando coisas por resolver, não conseguimos descansar em paz nem prosseguir em nosso desenvolvimento espiritual, até termos encontrado uma solução para as questões pendentes. Uma das recompensas do meu trabalho é a oportunidade de auxiliar um espírito a buscar e receber perdão por algo de errado que tenha feito. Assim, o espírito liberta-se de sua ligação negativa e pode ir adiante com seu crescimento no outro lado da vida.

Como já mencionei, ocorre muito de virem a mim espíritos que não estão sendo aguardados. Quando isso acontece, é porque há uma coisa muito importante que o espírito precisa transmitir ao consulente. No exemplo a seguir, o espírito é uma antiga colega de colégio que precisa obter perdão por um ato praticado no passado.

Em uma sessão de grupo, sábado à noite, já estava quase encerrando os trabalhos quando me vi sendo direcionado para duas mulheres e um homem, sentados em um sofá à minha frente. Não sei como, mas tinha a consciência de que aquelas pessoas possuíam alguma espécie de ligação entre si. Dirigi-me à mulher que se sentava no meio:

– Com licença, posso me aproximar?

– Claro – ela respondeu.

– Há uma jovem mulher aqui, mais ou menos da sua idade. Parece-me que ela está perturbada por alguma coisa... algo a está preocupando... O nome Stacey significa alguma coisa para você?

– Sim. Era minha colega, no colégio secundário.

– Ela morreu de forma muito abrupta. Está me mostrando vidro e sangue, e agora está apontando para sua cabeça. Não estava preparada para morrer. Isso faz sentido para você?

– Sim, claro que faz. Estava sentada aqui, este tempo todo, justamente pensando nela...

– Ela diz que não perderia esta sessão por nada no mundo. Acho... que Stacey era o tipo de garota que adorava festas.

– Tem razão.

– Estou com a sensação de que ela era muito popular na escola, e a primeira que convidavam, quando havia uma festa.

Todos começaram a rir.

– Antes de morrer, sua mente estava muito confusa, como se ela estivesse drogada ou bêbada. Eu a vejo no carro. Houve a colisão, a pancada em sua cabeça. Muito vidro e... muito sangue. Ela sofreu uma acidente de carro e... lamento dizer isso, mas sinto que ela foi projetada através do vidro do pára-brisa.

As duas jovens começaram a chorar:

– Foi isso mesmo.

– Ela diz que o acidente aconteceu num cruzamento. Ela vinha de uma festa e ficou... *toda ferrada.*

– Sim...

– Ela afirma que conhece vocês duas... É isso mesmo?

– Sim, nós fomos colegas de escola.

Passei a dirigir minhas perguntas a Julie, a outra mulher sentada no sofá.

– Ela está me mostrando uma foto com vocês duas. Você possui essa foto, não é?

– Sim, e acabei de dar uma olhada nela.

– Estranho... Agora ela está me mostrando algo que parece... material esportivo. Não sei ao certo se é algo relacionado a futebol ou a atletismo... Ela está me mostrando uma letra pregada no seu suéter...

Foi Julie quem respondeu:

– Nós éramos animadoras de torcida, na escola. Nessa foto, estávamos com o nosso uniforme. Os uniformes têm uma letra costurada nos suéteres.

Enxuguei a testa e suspirei aliviado. Estava feliz que tivessem compreendido a mensagem. Prossegui:

– Ela sempre quis ser mãe...

– É verdade! Ela vivia falando em ter uma família e em todas as coisas que nós três faríamos juntas.

– Ela me pede que lhes diga que ela toma conta de crianças, lá onde está agora. É como se fosse uma assistente social, e ela adora seu trabalho.

As duas mulheres sorriram. De repente, Stacey passou a me enviar um outro tipo de sensação.

– Isso é esquisito... Ela está me transmitindo uma sensação pesada... começou a chorar... Está muito triste pela maneira como tratou vocês. Ela está me dizendo que foi uma verdadeira... sacana com vocês duas.

As duas mulheres concordaram, com um balanço de cabeça.

– Ela está dizendo que terminou a amizade com vocês porque queria ficar amiga de uma turma mais popular no colégio, um pessoal mais animado. Ela está contando que era uma pessoa muito ciumenta e que vivia criando atritos com outras pessoas. Ela queria ser sempre o centro das atenções. Vocês pararam de falar com ela por um tempo, não foi?

– Foi, sim. Aconteceu poucos meses antes de ela morrer.

– Ela pede que eu diga que lamenta muito. Ela estava errada e pede a vocês que perdoem seu procedimento. Ela diz que era tão obcecada com a idéia de ser a pessoa mais popular do colégio que, muitas vezes, deixava de prestar atenção aos sentimentos dos outros. Era uma maneira de agir muito boba.

As moças começaram a chorar.

– Por favor, perdoem-na. Ela está muito desgostosa com a maneira como se comportou com vocês.

– Mas é claro que perdoamos – exclamou Julie.

– Ela diz que entende a mágoa de vocês, por experiência própria, e que odeia ter feito o que fez.

As moças enxugaram suas lágrimas.

– Julie... Você e esse rapaz ao seu lado casaram-se no último verão?

– Sim, isso mesmo.

– E você chegou a pensar que seria bom ter Stacey como uma de suas damas de honra?

– Sim... Mas é incrível! – Conversei com ela sobre isso.

– Ela está me mostrando um vestido cor-de-rosa e seu cabelo preso com um laço também cor-de-rosa.

Júlia gritou:

– Meu Deus! Rosa era a cor das roupas das damas de honra. Seus vestidos e laços nos cabelos eram cor-de-rosa.

– Stacey está dizendo: "E você acha que iam poder dar uma festa sem me convidar?" Ela diz que esteve presente, em espírito.

Todos riram muito e agradeceram a Stacey por seu comparecimento. Stacey também agradeceu a suas amigas, pelo amor que continuavam lhe devotando e pelo seu perdão. Naquele momento, vi Stacey aproximar-se das duas moças, dar um abraço em cada uma e depois voltar-se para mim, com uma expressão de agradecimento. Depois, lentamente, foi desaparecendo. O grupo levou alguns minutos para absorver a experiência e depois foi invadido por um intenso sentimento de paz e amor.

O mais importante é compreender que temos outras oportunidades para mudar nossas atitudes e nosso comportamento depois de deixarmos para trás nossos corpos físicos. Se alguém nos prejudicou, ou portou-se de maneira agressiva conosco, quando estava vivo – como Stacey admitiu ter feito –, a pessoa pode ter uma nova compreensão de si mesma, no outro lado. Ela percebeu o quanto seu procedimento fora errado, quantas chances tivera de transmitir seu amor e como se enganara na escolha que fez. A consciência disso leva à compreensão e ao desejo de ser perdoada.

Em quase todas as consultas, o desejo mais comum dos seres espirituais é serem perdoados. Arrepender-se de um ato praticado tem o efeito de cura para o espírito, além de servir como inspiração para aqueles que permanecem no plano terreno, estimulando-os a procurar resolver suas diferenças e atritos com outras pessoas. Os seres espirituais querem que iniciemos uma vida sem preconceitos nem julgamentos. Repetidamente, insistentemente, os espíritos nos dizem que o único caminho é o do *amor* e do *perdão.*

O policial

Uma das coisas que mais me perguntam é: *se os espíritos são capazes de enxergar o que vai acontecer, por que não nos contam?* É preciso entender que os seres espirituais só nos podem dizer o que sabem e o que é apropriado revelar. Embora todo espírito desenvolva certa percepção extremamente apurada e expanda impressionantemente sua consciência, pode *apenas* dar as informações que detém no nível em que se encontra.

Deixe-me explicar melhor... A Terra é nossa sala de aula. Viemos para cá com o objetivo de aprender diversas lições – e essas lições variam muito de pessoa para pessoa. Cada um de nós encarna em um estágio diferente de crescimento, e cada um de nós precisa atravessar diferentes experiências para obter sabedoria e expandir nossa consciência a respeito do contexto maior da vida. Como Jesus disse: "Na casa do meu pai há muitas moradas." Isso significa que há diversos níveis espirituais da existência. Quando morremos, entramos em um nível espiritual que irá se adequar às idéias e atos que praticamos no plano terreno. Um espírito só pode nos transmitir conhecimento a partir do nível espiritual ao qual pertence. Mais do que isso, no mundo espiritual, os seres respeitam as leis espirituais, e realmente as cumprem. Se desafiarem essas leis, estarão na verdade se levantando contra o estado natural de harmonia e de equilíbrio e perderão a oportunidade de evoluir espiritualmente. Assim, em vez de nos contar o que está para acontecer, eles se curvam às leis espirituais e nos permitem tomar nossas próprias decisões.

Por exemplo, se alguém indaga de sua falecida mãe se deve ou não se casar, existirão duas possibilidades. A mãe pode estar habilitada a fornecer a informação pedida e imprimir a resposta em minha mente. No entanto, se aquele casamento for uma lição cármica para sua filha, a mãe não desejará comprometer o crescimento espiritual dela, revelando-lhe algo que irá tornar inútil seu teste cármico. Cada indivíduo deve atravessar a experiência humana sozinho. Mesmo com nossos guias e anjos, precisamos tomar nossas próprias decisões com base em nossa consciência. Pode-se dizer que estamos, continuamente, sendo submetidos a algum tipo de teste.

A sessão que apresento a seguir é um maravilhoso exemplo de como um espírito podia não ter conhecimento do que iria acontecer na vida terrena, mas torna-se agora capaz de enxergar determinados detalhes de um evento futuro. Devo salientar que se trata de uma circunstância rara, mas, como você verá, é impressionante quando ocorre. Esta sessão aconteceu em um trabalho de grupo. Dirigi-me a uma senhora e sintonizei-me com sua avó, que estava de pé bem ao seu lado. A avó veio através de mim com informações muito objetivas. Ela relatou como morreu e fez comentários sobre as novas almofadas do sofá de sua neta. Pensei que isso seria tudo, até que algo muito estranho aconteceu.

– Carla, você conhece uma pessoa no plano terreno chamada Joanne?

Ela pensou, mas não foi capaz de lembrar de ninguém com esse nome. Eu prossegui:

– Bem, parece que há um homem de pé perto de mim que insiste que você conhece tal pessoa. Ele está falando de um acidente de moto. Ele morreu nesse acidente e diz que estava no seu caminho para casa.

A senhora continuava tentando recordar alguma coisa. De repente, ficou pálida e gritou:

– Oh, meu Deus! Deve ser isso mesmo!

– Ele está mencionando um nome... Kathy?

– Exatamente! Minha melhor amiga chama-se Kathy. Paul era o nome do seu marido. Ele morreu em um acidente de motocicleta.

Carla ficou agitada demais – tanto, que precisamos interromper a sessão por um ou dois minutos, até que ela se recuperasse. Então, continuei:

– Paul está me mostrando um uniforme de policial. E também

uma parada de carros de polícia – parece uma espécie de procissão...

– Sim... foi o funeral dele.

– Vejo policiais carregando o caixão. Você se lembra se seu túmulo ficava perto de uma espécie de muro?

– Não, não me lembro... Vou ter que perguntar a Kathy.

– Você sabe se Kathy pendurou na parede uma placa na qual está o distintivo dele e sua foto?

– Não, não sei.

– Por favor, pergunte a ela. Ele disse que a viu parada em frente à placa, conversando com ele.

– Está bem, vou perguntar.

Foi então que Paul nos transmitiu uma informação inesperada e quase inacreditável. Nem sempre sou capaz de interpretar o que recebo. Naquele caso, não pude compreender coisa alguma.

– Paul está dizendo que viu o bebê... Ele soube a respeito do bebê assim que morreu. Ele está se referindo a uma menininha, e diz que estava presente, quando ela nasceu. Sabe do que ele está falando?

Carla tinha uma expressão atônita na face. Ela começou a chorar, cobrindo a boca com as mãos. Murmurava, soluçando entre uma palavra e outra:

– Sim... sim... Quando Paul foi morto, Kathy estava grávida de dois meses, mas ele não sabia. Ela teve a criança há cinco meses. Deu-lhe o nome de Joanne...

Todos na sala, inclusive eu, soltaram uma exclamação.

Mais tarde, Carla soube que Paul foi de fato sepultado perto de um muro – na lateral de um mausoléu. Kathy havia emoldurado o distintivo de Paul, junto com a fotografia, e pendurado o quadro na parede da sala. Kathy contou a Carla que se detivera em frente à foto de seu marido, pedindo algum sinal de que ele estivesse bem. Ela ficou muito emocionada, ao receber os resultados da sessão.

Desse dia em diante, Kathy teve a certeza de que seu amado marido estaria olhando por ela e por seu bebê, lá do Paraíso.

Minha mãe e o ônibus

A sessão que vou relatar a seguir aconteceu em benefício do *AIDS Project Los Angeles*, em 1992. Fui convidado para fazer uma demonstração aberta ao público. A idéia era mostrar a morte a partir de uma perspectiva pouco ortodoxa. Demonstrações abertas às vezes reúnem algo em torno de 500 pessoas e é preciso haver um meio de estabelecer uma ligação entre o mundo espiritual e os participantes terrestres. Isso é obtido graças aos meus guias espirituais, que verificam a situação de um espírito e cuidadosamente o posicionam atrás de mim – não cabe a mim dizer nada a respeito da posição em que o espírito chega, nem a respeito da ordem em que me vêm as mensagens. Nunca sei quem vai aparecer.

Durante minha quarta manifestação, um espírito feminino começou a falar comigo.

– Há uma senhora aqui que me diz que morreu no México. Isso faz sentido para alguém neste salão?

Não houve resposta. Eu continuei.

– Ela está me dizendo que foi vítima de um acidente de carro, algo a ver com um ônibus. Sim, creio que ela bateu contra um ônibus. Isso faz sentido para alguém aqui?

Ainda sem resposta. É raro acontecer de ninguém no salão reconhecer a informação. Geralmente, quando isso ocorre, descubro mais tarde que alguém na audiência, de fato, sabia do que eu estava falando, mas ou ficou chocado demais pela exatidão da informação e não quis se expor diante de uma platéia, ou não foi capaz de interpretar corretamente o que eu transmiti, até que o evento estivesse encerrado.

Foi isto o que aconteceu naquela noite. Depois de uma demonstração de duas horas de duração, despedi-me do auditório e já estava arrumando minhas coisas para ir embora, quando um homem de cabelos negros apresentou-se a mim.

– Com licença, meu nome é Ed Auger.

– Olá! Em que posso ajudá-lo?

– Estava aqui pensando se o que você disse sobre a tal mulher que morreu no México poderia ter a ver comigo. Minha mãe morreu em um acidente no México, mas ela não bateu contra um ônibus... bateu num caminhão.

– Não... – eu lhe respondi. – O que aquela senhora estava me mostrando era nitidamente um ônibus. Havia uma inscrição na lateral da carroceria do veículo. Você tem certeza de que a sua mãe bateu contra um caminhão?

– Acho que sim... Mas vou checar com meu pai. Muito obrigado!

Depois disso, saímos do salão e cada qual seguiu seu caminho. Um mês mais tarde, recebi um telefonema urgente de Ed. Ele me contou que havia falado com seu pai no México, que confirmara que o acidente com sua mãe fora uma colisão contra um ônibus. Chegou mesmo a mandar para Ed um recorte de jornal, que noticiava o desastre. Ed estava muito entristecido, por não haver reconhecido a informação, logo de início, e estava torcendo para que sua mãe não houvesse ficado zangada com ele. Ele me disse que, na época do acidente, tinha apenas dois anos de idade – por isso não se lembrava ao certo do que havia acontecido. Marcamos um encontro, esperando que Ed pudesse encontrar a mãe, que ele mal conhecia.

– Ed, sua mãe era uma mulher muito bonita. Ela tinha lindos olhos castanhos e cabelos escuros. Posso vê-la, arrumando-os para trás.

– Tudo que tenho é uma foto dela... e é assim mesmo que ela se parece – respondeu Ed.

– Bem, sua mãe está dizendo que está enganado, que você tem uma outra foto dela, na sua sala.

– Não, não que eu saiba.

– Ela diz que não é uma foto normal. Há alguma coisa diferente a respeito dela. Ela diz que foi uma foto tirada logo depois que se casou com o seu pai. Você sabe alguma coisa a respeito da pintura de um retrato dela?

– Minha nossa! É claro que eu sei. Tenho um retrato pintado da minha mãe quando ela tinha dezenove anos, pendurado na parede da sala. Foi pintado logo depois de ela conhecer meu pai.

– Ela está rindo. Diz que você é tremendamente ciumento a respeito de tudo o que há nessa sua sala. Ela está me mostrando objetos que parecem ser... máscaras. Artesanato tribal, é isso?

– Sim... Estão penduradas na parede oposta. Coleciono máscaras africanas. É incrível!

– Ela está falando a respeito do seu pai. Diz alguma coisa a respeito de ele possuir uma medalha. Espere, deixe eu entender direito... Certo... Seu pai possui algum tipo de condecoração? Uma medalha pendurada numa fita?

Ed não tinha certeza.

– Sua mãe pertencia a uma família muito conceituada. Tenho a impressão de que eram bastante influentes na política. É verdade?

– Sim, é isso mesmo. No México, o pai dela tinha um cargo equivalente a um prefeito. Era uma autoridade bastante influente.

– Ela está tentando me dizer seu nome. São três palavras separadas. Espanhol. Uma das palavras soa como Camille... ou Camilla?

– Inacreditável. Seu nome era Camilla Dolores Garda.

– Ah, muito bem. Isso foi ótimo. Sua mãe é uma comunicadora excelente.

Houve uma pausa de alguns minutos.

– Lamento dizer isso... – eu falei. – Mas preciso transmitir tudo o que é passado para mim. Não faço censura nenhuma à informação que recebo.

– Tudo bem, vá em frente.

– Você sabe que sua mãe foi obrigada a se casar?

– Como assim?

– Bem, ela está me dizendo alguma coisa sobre ser forçada a se casar.

Ed ficou chocado. Nunca havia escutado isso antes e achou difícil de acreditar. Disse a ele que eu poderia não estar interpretando corretamente a mensagem. Seria melhor que fosse consultar seu pai a respeito. A sessão ainda prosseguiu por algum tempo. A mãe de Ed mencionou um anel de diamantes, comentou o trabalho de Ed no mercado financeiro e algo sobre sua mudança recente de emprego.

Ed deixou o encontro muito satisfeito – mas também extremamente intrigado. Poucos dias depois, telefonou-me e disse que havia falado com seu pai a respeito de nosso encontro. Seu pai confirmou a existência da medalha – que ele recebera no exército. Disse que a mantinha em seu quarto, em uma gaveta, junto ao anel de diamantes com que presenteara sua esposa.

Ed conseguiu esclarecer o que sua mãe dissera sobre um casamento forçado. Seu pai havia se casado de novo, dois anos depois da morte da mãe de Ed. Fora obrigado a casar-se porque a mulher havia ficado grávida e o escândalo arruinaria a reputação da família, se ele se recusasse a desposá-la. Seu pai nunca contou nada a ninguém a respeito do assunto, manteve tudo como um segredo de família.

Ed ficou convencido de que havia conversado com sua mãe. Ele estava feliz em saber que ela sempre estaria com ele e que também o acolheria, quando fosse a vez de ele retornar ao lar do mundo espiritual. Ele disse que estaria aguardando ansiosamente pelo momento em que se reuniriam novamente, e para sempre.

Capítulo 6

AIDS

Através da História, cada geração tem sido vítima de alguma praga devastadora. Infelizmente, isso me leva a escrever um capítulo a respeito do assunto. Acontece que a AIDS é uma discussão que tem mobilizado toda a sociedade. A AIDS posiciona-se ao lado do câncer e das doenças cardíacas como mais um dos flagelos da humanidade, atualmente. Com freqüência, me perguntam: *Por que existe a AIDS? O que podemos aprender com a doença?* Centenas de livros já foram escritos, procurando responder a essa pergunta. Estou longe de poder me colocar como dono de enorme conhecimento a respeito, nem pretendo responder àquelas perguntas, neste livro. Acredito que as respostas são demasiadamente complexas. Posso apenas oferecer ao leitor minha experiência sobre a doença, do ponto de vista espiritual – proveniente daqueles que atravessaram para além da morte e explicaram por que precisaram passar pela experiência de contrair a AIDS.

Desejo ressaltar um ponto. *Todas* as coisas são criadas a partir do pensamento universal. Mesmo que não possamos enxergá-lo, o pensamento universal existe. Já ressaltei que existe uma lei universal de causa e efeito, que é constante, assim como o movimento de energia que anima nosso mundo. Em outras palavras, é nossa mente que cria as situações de nossas vidas. Poucos de nós vivem a realidade de quem são. Em vez disso, nos atrapalhamos com o poder de nosso próprio pensamento. Mesmo aqueles que pregam respeito à verdade parecem incapazes de viver de acordo com sua própria doutrina. Assim, em vez de usar nossa mente para compartilhar o ideal de um Deus que nos ama incondicionalmente, voltamos nossa energia para a intolerância e para o preconceito.

Há gente demais tentando se fazer de Deus na Terra. Alguns se valem de seu poder material para dominar outras pessoas. Somente o ego das pessoas pode ansiar por conquistar poder. E tem como satisfazer-se em diversos lugares – na diretoria de uma empresa, em algum cargo no governo, no púlpito de uma igreja. Fazendo par com o poder, encontramos a riqueza material e a crença de que esta pode nos fazer, de alguma forma, pessoas especiais, valiosas. Todos temos conhecimento de pessoas que enriqueceram e que ainda enriquecem por meio da exploração de outros seres humanos. Em última instância, depende de cada um de nós, como indivíduos, ter consciência de que o que temos de precioso, de inestimável, não pode ser medido pelo volume de dinheiro que acumulamos no banco, pelo tamanho de nossa casa e pela quantidade de automóveis que possuímos. Quando atravessamos para o outro lado, tudo o que nos perguntarão será a respeito de *quanto amor* temos em nossos corações.

Todos somos iguais. Deus *não* escolheu um grupo, em detrimento dos demais. Quando nos permitirmos abrir nossas mentes, desenvolveremos nossa compreensão e nossa compaixão, e seremos capazes de enxergar todos os seres como partes da energia universal que vem de Deus. Estaremos livres de todo preconceito e de todo ódio baseado em diferenças de raça, sexo, ou de opção sexual. Deus é ilimitado. Somente o pensamento humano estabelece barreiras entre as pessoas. Pessoalmente, acredito que, disseminando o ódio, o preconceito e a intolerância, contribuímos de algum modo para disseminar igualmente a AIDS. É nossa maneira equivocada de pensar que provoca esse sentimento geral de mal-estar, essa falta de harmonia em que nos encontramos hoje, no mundo.

Muitas pessoas perguntam se há cura para a AIDS. Eu respondo: *sim*. Há cura para todas as enfermidades que nos afligem, mas não será encontrada até elevarmos nossa consciência, deixando de agir apenas em proveito pessoal, até conseguirmos, de fato, amar o próximo.

A AIDS, apesar de terrível, nos oferece oportunidade de aprender e de nos iluminar. Previamente associada aos homossexuais masculinos, já é hoje um mal que ataca indistintamente a toda a população. Há pessoas, por todo o planeta, que ainda relutam em aceitar a extensão da epidemia. No entanto, finalmente estamos começando a nos informar a respeito e a encarar o fato de que todos estamos envolvidos no problema da AIDS. Por causa da AIDS, fomos obrigados a aprender lições sobre tolerância, compreensão, convivência.

Essa situação traz à tona elementos da personalidade das pessoas, e de seu caráter, de que até então não se haviam dado conta. Muitas pessoas infectadas questionam, entre outras coisas, sua espiritualidade, sua essência única universal, seu medo do desconhecido e, mais importante do que tudo, a dimensão do amor. É sob as situações mais dramáticas que as almas encontram maior oportunidade de crescimento. Isso vale não apenas para os que são contaminados pela doença, mas também para seus familiares e amigos.

Durante sessões com espíritos que vivenciaram a enfermidade, muitos me deram razões para precisarem passar pela experiência. Os espíritos começam explicando que sua passagem pelo plano terreno é definida muito antes de reencarnarem. Muitos afirmaram que estão ajudando a equilibrar o carma negativo deste planeta, gerado pela maneira equivocada de nos comportarmos uns em relação aos outros. Pessoas que faleceram vítimas de câncer me contaram a mesma coisa.

Dedico este capítulo a todos os que foram contaminados pela doença, a todos os que os ampararam e a todos os que perderam entes queridos dessa forma tão dolorosa.

A mãe da menina

É importante destacar que as habilidades de comunicação do próprio espírito são importantes e que, em grande medida, determinam o sucesso da sessão. A que vou relatar a seguir foi muito impressionante, por duas razões. Primeiro, a criança foi bastante explícita, precisa, e compreendeu perfeitamente o processo de comunicação. Em segundo lugar, sempre que as crianças chegam a nós, falam de modo inocente e puro.

Certa vez, uma senhora muito perturbada, chamada Miriam, telefonou pedindo minha ajuda. Ela me disse que sua menininha havia contraído AIDS, através de uma transfusão de sangue, e morrera.

– Não vou conseguir continuar vivendo, a não ser que tenha a certeza de que minha filhinha está bem! – ela disse.

Uma consulta havia sido desmarcada na última hora e assim pude recebê-la imediatamente.

Quando Miriam Johnson chegou, informou-me de que não tinha qualquer familiaridade com o trabalho que eu fazia. Mas me confessou também que estava no limite de suas forças e, portanto, qualquer um que pudesse lhe dar alguma esperança seria bem-vindo. Eu a fiz sentar-se e expliquei em detalhes como trabalhava e o que ela poderia esperar. Ela estava um tanto nervosa, mas, depois que se deu conta de que não correria nenhum perigo – nem estava sendo enganada –, conseguiu relaxar e deixar a experiência desenvolver-se.

Iniciei com minhas orações usuais e comecei a sessão. Demorou alguns minutos até eu escutar alguma coisa – apenas sussurros muito débeis – em minha mente.

– Creio que sua menina está entre nós. Ela tem cabelos longos, castanho-claros, olhos verdes e brilhantes, e um sorriso adorável. Parece um pouco envergonhada.

Miriam, com lágrimas nos olhos, respondeu:

– Mas é ela? É ela de verdade?

– Ela diz que sim.

– Mas como vou saber... Quer dizer, o que ela pode me contar a seu respeito?

Prosseguí, então:

– Está me dando o nome de Bethie...

Miriam começou a chorar convulsivamente.

– Sim, esse era o seu apelido. Eu sempre a chamava de Bethie. Seu nome mesmo era Elizabeth.

– Muito estranho... Ela está segurando alguma coisa, mas não consigo distinguir do que se trata. Espere! Ela tinha algum desses bichinhos de pelúcia?

– Sim, no seu quarto...

– Ela está me dizendo que você lhe deu um bichinho desses. Espere! Está me mostrando... Hum... Parece um pônei vermelho. Isso significa algo para você?

– Não, não me lembro de nenhum pônei vermelho. Pode até ser que ela tivesse um, mas não me lembro.

Telepaticamente, pedi a Bethie que me contasse mais a respeito do bichinho. Depois de alguns minutos, pude ir em frente.

– Bethie está me mostrando um quarto de hospital, e você está lá, de pé, com o pônei vermelho nas mãos.

Um brilho rápido iluminou os olhos de Miriam:

– Ah, sim, é claro. John e eu compramos um animal de pelúcia para ela, e ela o teve nos braços por todo o tempo em que permaneceu no hospital. Era um pônei vermelho. Lamento não ter lembrado.

– Posso dizer que sua filha era um ser muito iluminado e que, sem nenhuma dúvida, veio ao plano terreno com algum propósito. Adoro a energia que capto dela e seu gosto pela vida. Ninguém diria que tenha morrido tão nova.

Miriam assentiu com a cabeça e enxugou as lágrimas dos olhos.

– Ela está falando de um acampamento. Você lembra se ela foi a algum acampamento?

– Sim... no verão passado.

– O nome do lugar era algo como... Reindeer?

– Não... Acampamento Rainier.

– É parecido... Sua filha está me mostrando uma medalha. Tem uma fita presa a ela. Sabe do que estou falando?

– Sim... – Miriam engasgou. – Ela ganhou uma medalha. Eu a tive nas mãos, esta manhã. Ela foi a campeã de remo do acampamento.

– Sim, ela estava ao seu lado no quarto, hoje, quando você tirou a medalha da caixa para olhá-la.

Miriam não conseguia acreditar no que estava escutando.

– Ela manda um beijo para John, diz que o ama. Pede a você que lhe diga que gostou da decisão de vocês. Sinto muito, mas não tenho a mínima idéia do que isto pode significar.

As lágrimas voltaram aos olhos de Miriam. Ela encarou-me e disse:

– Acabei de dizer a John que aceito casar-me com ele. Mas não tinha certeza se minha garotinha aprovaria...

– Ela diz que sim. Diz também que viu John se inclinando sobre ela e beijando sua testa, quando morreu, no hospital.

– Foi isso mesmo... Minha menininha vai estar no céu, me esperando, quando eu for para lá?

Naquele instante, fui tocado por uma emoção fortíssima, cheia de amor, vinda da pequena Bethie. Ela pediu-me que dissesse a sua mãe que não só estaria lá como viria ao seu encontro, para levá-la ao céu, junto com ela.

A sessão terminou com Miriam sorrindo, feliz. Não conseguiu conter-se – abraçou-me com força, dizendo o quanto estava agradecida. Sentia como se, finalmente, pudesse reiniciar a vida, agora que sabia que sua filhinha estava bem e que continuava existindo. De uma situação de desespero, Miriam havia se tornado a imagem da alegria.

O coração

A beleza do meu trabalho é não apenas ter iluminado tantas pessoas sobre a verdade da vida depois da morte, mas ter testemunhado inacreditáveis e miraculosas transformações nas que receberam tal revelação. Vou agora narrar uma sessão em que me deparei com uma das mais tocantes experiências de amor eterno.

Muitas vezes, recebo informações que só mais tarde fazem sentido para a pessoa que atendo. Foi assim que aconteceu durante uma consulta dada a um jovem chamado Tom. Estava já me sintonizando com sua energia, quando reparei que havia um outro jovem, de pé, ao lado dele. Esse ser espiritual começou a descrever as circunstâncias de sua morte, sobre a qual eu não sabia nada, até então.

– Há um homem aqui que está lhe enviando muito amor. Está de pé, à sua direita. Tem olhos azuis, cabelos castanhos e usa uma barba. Morreu muito jovem... Parece que ele deveria ter vivido por mais tempo. Hum... Você saberia dizer quem é essa pessoa?

– Acho que sim – replicou Tom.

– Ele está me passando que precisou tomar muitos medicamentos... algo contra a dor... morfina?

– Sim, isso mesmo!

Sinto também que ele teve muita dificuldade para respirar. Precisou de oxigênio. Estava muito fraco. O quadro parece... AIDS! Faz sentido para você?

Tom começou a gritar:

– Sim, estou entendendo tudo! Foi assim que ele morreu.

– Está lhe enviando todo o seu amor e diz que está próximo de você o tempo todo. Esteve tentando lhe dizer isso, mas você não o enxerga, e ele ficou muito frustrado. Ele diz que você acabou de receber uma promoção no trabalho.

– Bem, é verdade... Meu supervisor falou comigo a respeito dessa possibilidade, hoje.

– Seu amigo está rindo bastante. Diz que o ajudou a conseguir a promoção e que você está lhe devendo essa... – Tom sorriu.

– Você conhece alguém chamado Gary?

– É o nome dele!

– Está me dizendo alguma coisa a respeito do jardim da frente e de você estar plantando flores. Ele está me mostrando a si próprio regando o gramado e diz que você não está plantando as espécies certas de flores. Sabe do que ele está falando?

– Você tem toda razão! – reforcei.

Ambos rimos.

– Ele está me contando que você esteve na garagem revirando

algumas caixas. Ele está me mostrando um álbum de fotos. Isso faz sentido para você?

– Sim, fiz isso na semana passada. Estou pensando em me mudar, e estive vendo o que vou guardar comigo e o que vou jogar fora.

– Gary diz que você já falou com alguém sobre vender a casa e esteve vendo uma outra, atrás do lugar onde você mora, atualmente.

– Não entendi isso.

– Gary está pedindo para você aguardar. Vai entender mais tarde... Ele me mostra uma coisa agora, algo como dois corações entrelaçados... Você tem algo assim no seu quarto de dormir?

Tom não conseguiu localizar os corações. Mentalmente, percorreu a casa inteira e não pôde visualizar o que eu estava lhe descrevendo. Disse-lhe que poderia fazer sentido posteriormente.

– Gary quer que lhe diga que o ama muito, e o amará para sempre. Ele quer que saiba que sempre estará com você.

Tom disse a Gary que também o amava e que ficava feliz em tê-lo por perto.

– Gary vai lhe mandar uma espécie de sinal, para que tenha certeza de que ele está junto de você.

– Isso vai ser maravilhoso. Mal posso esperar.

A sessão foi encerrada. Tom assegurou-me de que a consulta o deixara aliviado. Ele reconheceu o jeito de Gary em muitas coisas que foram ditas. Agradeceu-me e seguiu seu caminho.

Quatro meses mais tarde, Tom voltou para me ver e relatou um acontecimento impressionante. Contou que, depois da consulta que tivera comigo, foi para casa e guardou a fita com a gravação do que dissemos. Não pensou mais na sessão. Três semanas mais tarde, ele ganhou a tal promoção que Gary comentara. Posteriormente, o próprio Tom explicou:

– Uma colega de trabalho me presenteou com dois cartões. O primeiro, de congratulações, pela promoção. Então, ela contou que acontecera uma coisa muito esquisita com ela... Quando deixava a loja onde comprou o cartão, parou diante do *display* e sentiu uma espécie de compulsão de comprar um outro cartão. Não conseguiu entender por que sentia aquilo, apenas sabia que precisava me dar o tal cartão. Quando abri o envelope, havia lá o cartão com dois corações entrelaçados. Impresso, do lado de dentro, estava escrito: "Eu amo você."

Tom disse que sentiu como se houvesse alguma coisa de familiar naquele cartão. Assim, decidiu verificar todas as cartas e cartões que Gary havia lhe dado ou enviado. Quando começou a abri-los, deu-se conta do que lhe parecia tão familiar. Todas as cartas e cartões estavam assinados da mesma maneira: "Eu amo você... *Gary*."

Mamãe! Papai! Sou eu!

Muitas pessoas que marcam consultas comigo são extremamente céticas. Geralmente, seu sistema de crenças não lhes permite abrir-se para a possibilidade da vida após a morte. Meu trabalho simplesmente desafia crenças convencionais, baseadas em anos de enrijecimento de idéias e mentes fechadas a qualquer pensamento diferente dos que lhe são habituais.

Em torno de todo ser existe uma força, uma energia chamada de *aura*. Quando um espírito vem nos visitar, o que enxerga é essa forma feita de energia. Ou seja, o espírito não vê apenas o corpo físico (rosto, peito, pernas e assim por diante), mas nos vê também de diversas outras maneiras. Na aura, o espírito é capaz de enxergar nossos corpos emocionais, mentais e espirituais, e as condições de cada um. Todos os seus pensamentos, palavras, atos, sentimentos e as suas condições de saúde estão contidos no campo formado pela aura. Portanto, os seres espirituais são capazes de aperceber-se de qualquer moléstia, contrariedade ou estado anômalo pelo qual você esteja passando. Essa informação é transmitida sempre que o espírito pressente que algo pode ser feito para ajudar aquele indivíduo. Um ser espiritual é igualmente capaz de nos passar qualquer outro tipo de informação registrada na aura, tais como acontecimentos futuros, que têm ocupado nosso pensamento.

A sessão que relato a seguir mudou totalmente a maneira de esses meus clientes verem o mundo. Mais uma vez, reitero que não sou responsável por quem ou pelo que me chega. No caso, um visitante inesperado trouxe uma informação extraordinária. O casal, Vivian e Paul Strauss, estava sentado à minha frente. Sentia o ceticismo deles com muita força. Assim, iniciei dizendo:

– Bem, é claro que não sei quem vocês desejam que eu contate, mas devo perguntar se perderam algum ente querido... uma filha?

O casal trocou olhares intrigados e depois me encarou de volta. Vivian disse:

– Não, mas o que você está vendo?

– Uma moça... Ela tem uns vinte anos. Está junto de vocês. Lamento, mas não consigo captar seu nome. Vamos ver... Talvez ela me conte quem é.

Passaram-se alguns minutos...

– Vivian! Há uma senhora aqui, também. É ligada à sua mãe e está dizendo alguma coisa sobre Chicago.

– Sim, é minha avó... a mãe da minha mãe. Ela morava em Chicago. O que está dizendo?

– Está preocupada com a sua mãe. Sua mãe tem algum problema de visão, ou talvez tenha acabado de marcar uma consulta com um oftalmologista.

Paul começou a remexer-se na cadeira, parecendo perturbado. A informação tocou-o de alguma maneira. Foi ele quem respondeu:

– É isso mesmo!

– Essa senhora está dizendo que você teve alguns atritos com a sua mãe. Vocês duas não estão se falando. Vamos dizer dessa maneira... Sua mãe tem uma personalidade um bocado forte, o que leva vocês a brigarem com freqüência. Isso faz sentido?

Ficaram espantadíssimos. Eu acabara de resumir perfeitamente toda a situação.

– É verdade. Não consigo me relacionar direito com ela. Bem que gostaria... – Vivian tomou alguns segundos, pensando. – Mas ela é uma pessoa muito difícil.

– Sua avó, a mãe dela, quer que você a trate melhor. Ela diz que você precisa ser mais compreensiva.

O casal assentiu de cabeça. Eu prossegui:

– Essa senhora está mandando dizer que ama muito você... Quem é Paul?

– Eu me chamo Paul! – replicou o marido.

– Há outra pessoa no mundo espiritual com o mesmo nome.

Vivian e Paul trocaram olhares. Seus olhos se encheram de lágrimas.

– Ele está me dizendo que é filho de vocês. É verdade?

– É sim.

– Paul, devo lhe transmitir o que o seu filho está me dizendo. Você precisa cuidar mais de si. Seu filho está muito preocupado com a sua saúde. Ele está me dizendo que você não soube até hoje como lidar com a morte dele, que está segurando dentro de si uma dor que precisa ir embora. Isso está prejudicando a sua saúde. Você precisa sair, fazer coisas. Você gosta de jardinagem?

– Sim.

– Seu filho quer que você plante algumas flores no jardim da frente.

– Estava pensando em fazer isso, há poucos dias...

– Foi ele quem pôs esse pensamento em sua mente.

O casal me encarava perplexo. Haviam sido fortemente mexidos pela acuidade da informação e agora mostravam-se atentos a cada palavra que eu dizia. Eu tinha ainda mais para lhes transmitir:

– Isso pode parecer estranho para vocês, mas seu filho quer que saibam que ele está com sua namorada, no outro lado.

Vivian cobriu o rosto com as mãos e começou a chorar. Ela murmurou:

– E... ela está bem?

Não pude entender a situação, a princípio, e assim pedi aos pais que a esclarecessem:

– A namorada dele no plano terreno morreu também?

– Sim... meses depois do falecimento de nosso filho – explicou

Vivian. – E ela era como se fosse uma filha, também, para nós.

– Meu Deus, é inacreditável – eu exclamei. – Ela está mandando dizer a vocês que eles estão juntos outra vez. Ah, sim, essa é a garota que primeiro apareceu na sessão.

Eles assentiram com um movimento de cabeça. A sessão continuou por mais algum tempo, com detalhes sobre a personalidade e as condições da morte do filho desse casal.

– Seu filho parece ter sido um jovem bastante irrequieto. Era difícil para ele fixar-se em alguém. Ele tinha essa garota, mas também andava bastante solto por aí. Vocês devem saber disso.

– É verdade. Ele tinha muitas garotas, ou pelo menos era o que nos dizia.

– Creio que ele gostava de música. Sabem algo a respeito de uma guitarra na garagem?

Paul respondeu:

– Claro! Estive olhando para ela ainda ontem. Paul sempre quis tocar em uma banda. Ele costumava praticar o tempo todo.

– Ele pediu que vocês dêem uma olhada na guitarra, quando chegarem em casa. Vão verificar que a segunda corda está partida.

Paul garantiu que verificaria, assim que chegassem em casa.

– Ele está me dizendo alguma coisa a respeito de um carro. Vocês têm uma camionete?

– Sim.

– Ele está me falando de pneus... que talvez vocês tenham trocado os pneus do veículo, recentemente.

Pensei que aquele homem fosse ter um ataque cardíaco. Ele ficou pálido de repente:

– Troquei os pneus da camionete na sexta-feira passada.

– Seu filho avisa para checar os faróis. Há uma lâmpada que precisa ser trocada.

– Meu Deus do céu! Reparei nisso ontem à noite!

O casal estava absolutamente estupefato.

– Seu filho morreu abruptamente. Sinto algo estranho em minha cabeça, como se estivesse drogado, mas não sinto que ele tenha morrido de abuso de drogas. Talvez... Tem algo a ver com o interior do corpo dele. Ele fica me dizendo que não precisou sofrer muito, e se diz satisfeito por isso. Havia algum problema com seu sangue?

– Sim!

– Ele pegou AIDS?

Eles recomeçaram a chorar.

– Sim.

– Estranho... A maioria das pessoas que contraem AIDS permanece doente por bastante tempo, antes de falecer. Mas não sinto que isso tenha acontecido com o seu filho. Parece que ele ficou doente e morreu muito depressa.

– Sim – explicou o pai. – Ele descobriu que estava contaminado e, uma semana depois, foi internado em um hospital e morreu. Tudo muito rápido.

– E a garota também morreu de AIDS?

– Sim – respondeu a mãe.

– Ela manda dizer que ama muito vocês e pede que dêem um beijo em Carrie. Vocês entendem a mensagem? Ela quer que mandem um beijo para essa pessoa.

– Carrie é a mãe dela.

– Seu filho está dizendo que lamenta que vocês tenham passado por tanto sofrimento, mas que ele está bem agora e que vai continuar tocando sua música...

Vivian e Paul deram-se as mãos. O que eles mais desejavam – uma nova maneira de compreender o mundo – havia sido concedido. Sabiam que jamais teriam seu filho de volta, mas, através de mim, tiveram a prova de que ele permanecia vivo no outro lado. Agora, estavam prontos para iniciar a recuperação da perda. Daí para a frente, o relacionamento de Vivian com sua mãe melhorou muito, e Paul começou a plantar belas flores no seu jardim, onde se senta às vezes, medita e contempla a vida a partir de uma nova perspectiva.

Adeus, Baby!

Nunca sei que parte da consulta terá mais impacto no meu cliente. Muito do que é transmitido parece a princípio banal, mas, é claro, eu me dou conta de que o ser espiritual está fornecendo provas de sua presença. Há vezes em que recebo a mensagem e meu raciocínio começa a atrapalhar-se – penso que posso estar interferindo na informação ou que o que estou dizendo não tem nenhuma importância. E, no entanto, descubro a seguir que uma palavra em particular, ou uma frase, ou uma descrição em especial, é particularmente significativa para o meu cliente. Não importa há quantos anos esteja já praticando este trabalho. Estou permanentemente aprendendo a confiar cada vez mais na minha comunicação com os espíritos. A sessão relatada agora é um magnífico exemplo de como algo trivial pode modificar para sempre a vida de uma pessoa.

Compareci a um encontro de grupo na residência de uma senhora em São Bernardino, Califórnia. Depois de transmitir mensagens para três das pessoas presentes, voltei-me para uma jovem sentada sozinha em um sofá. Seu nome era Laurie. Transmiti-lhe uma mensagem de meia hora, passada por sua avó, que descreveu os bens possuídos pela família, localizando-os com precisão.

Estava para terminar, quando o espírito de um jovem emergiu e sentou-se à direita da moça. Pareceu segurar a mão dela entre as suas e, a seguir, transmitiu-me uma mensagem.

– Há um rapaz sentado ao seu lado. Ele diz que é por causa dele que você está aqui, esta noite. Isso faz sentido para você?

Achei que Laurie fosse desmaiar. Seu rosto perdeu a cor e seus olhos ficaram arregalados, enquanto tentava conter as lágrimas. Seus lábios se entreabriram e ela murmurou:

– É verdade... Ele está aqui?

– Ele diz que a ama e que lamenta muito o que fez.

Laurie enxugou as lágrimas e olhou-me com um sorriso radiante.

– Ele está me dando a inicial do seu nome. É um *M.* E vejo um *Y*, no final.

– Isso mesmo. O nome dele é Marty.

– Ele foi seu namorado?

– Sim.

– Está me contando algum problema que teve, e sobre não ter sido honesto com você em várias coisas...

Então, expliquei a Laurie como poderia enviar para ele seus pensamentos, sem precisar de mim para comunicar-se.

– Marty me parece um rapaz muito cheio de vida. E tem um grande senso de humor, mas às vezes creio que se atrapalha por causa disso. Você entende o que estou falando? É como se ele dissesse coisas que parecem totalmente despropositadas e as pessoas ficam com uma impressão errada sobre o que ele diz.

Laurie abriu um sorriso de compreensão e contou que Marty costumava assustar de fato as pessoas com as coisas que dizia.

– Ele está dizendo algo sobre vocês estarem para morar juntos, mas que por alguma razão você não pôde. Ou talvez tenha havido algum problema em relação a isso. Ele disse que muita gente interferiu no assunto. Você sabe do que ele está falando?

– Bem, minha mãe não gostava nada do Marty e não queria que fôssemos viver juntos. Ela brigou um bocado conosco, quando lhe contamos o que estávamos pretendendo fazer.

– Ele está entendendo. Ele diz que se meteu em alguma espécie de complicação e que você o ajudou a endireitar-se. Acho que ele estava envolvido com o tipo errado de pessoas.

Laurie assentiu de cabeça. Fui em frente:

– Creio que ele estava pegando *pesado* em drogas. Acho que foi assim que se contaminou com o vírus... usando a mesma agulha que outros. Você sabe algo sobre isso?

– Não... É o tipo de coisa que ele não iria me contar. Mas pode ser verdade. Ele estava bastante mal, nessa coisa de drogas, antes que a gente se conhecesse.

– Ele está me dizendo que você é a melhor coisa que aconteceu a ele. É um pouco irônico... está falando sobre um noivado. Vocês estavam planejando casar-se, oficialmente?

Laurie recomeçou a chorar.

– Sim, falamos sobre o assunto... Ele disse que queria casar-se comigo, e só faltava a gente marcar a data.

– Ele está me falando sobre um anel de noivado. Diz que já havia até comprado um anel para você.

Laurie desabou. Depois de vários minutos, ela mostrou-nos um anel de diamante – um anel de noivado, que ela usava pendurado em uma corrente, em volta do pescoço.

Com lágrimas nos olhos, ela explicou:

– A mãe dele achou este anel junto com uma carta, com o meu nome. Ele estava planejando me dar de presente, no dia em que morreu.

Todo mundo na sala suspirou, simultaneamente. Esperei mais alguns minutos, até Marty me transmitir mais informações.

– Marty está lhe agradecendo ter cuidado dele. Você ajudou a alimentá-lo e lhe deu banho?

– Sim, fui eu que fiquei tomando conta dele. Na verdade, ninguém queria fazer isso. Mas para mim não foi nenhum sacrifício, eu o amava!

– Foi muito generoso de sua parte. Você estava sendo testada espiritualmente e, com toda certeza, passou no teste.

Durante o resto da sessão, Marty continuou a agradecer a Laurie por tê-lo ajudado e amparado na doença. Todo o tempo, ele lhe dizia que a amava. E Laurie convenceu-se de que estava conversando com o espírito de seu namorado – mas de alguma forma pressenti que a moça ainda tinha alguma expectativa. Estava começando a me sentir mais fraco e meus guias me orientaram para que interrompesse a sessão.

Agradeci a todos e, virando-me para Laurie, falei:

– Marty está dizendo: "Adeus, Baby!"

Laurie deu um pulo da cadeira, soltando um grito. Perguntei-lhe o que havia acontecido e ela confessou:

– Ontem à noite, estava pensando em Marty e disse a ele: "Se esse cara faz de verdade esse tipo de coisas, e se você aparecer mesmo por lá, me chame pelo meu apelido." E o meu apelido é "Baby"!

Com isso, ouviu-se uma exclamação geral de espanto e admiração ante o poder dos espíritos e do amor.

Capítulo 7

Suicídio

Todo ser vivente é feito de tudo aquilo que experimentou em suas vidas passadas. Em outras palavras, nossa vida presente é uma compilação de nossos pensamentos do passado, de nossas ações e atos, tenham sido positivos ou negativos. Tudo isso trazemos conosco para este mundo. Nosso carma passado leva a que nasçamos em determinadas famílias e situações, com certa posição econômica e social necessária ao nosso crescimento espiritual.

Antes de encarnar no plano terreno, uma alma prepara-se para sua nova vida. É muito comum determinado espírito retornar para algum campo de trabalho, ou mesmo para uma profissão, na qual tenha tido experiência em uma vida passada. Digamos que um espírito planeje experimentar a vida terrena no ano de 2021, como um médico. Irá, então, dedicar bastante tempo com seus guias e mestres, aperfeiçoando as habilidades necessárias, e estará sempre atento a todas as descobertas na área médica e a novas tecnologias, no momento de seu retorno.

Ao mesmo tempo, aprenderá tudo o que puder sobre as novas enfermidades e epidemias que se abaterão sobre a humanidade, e como disseminar conhecimento e amor para todos, por meio de seu trabalho na Terra. Quando um espírito torna-se ciente desse conhecimento, está integrado à sua nova personalidade. É vital que a alma entenda o valor de sua participação no futuro da humanidade e como poderá influenciar na vida dos demais.

Como seres espirituais, estamos ininterruptamente aprendendo, evoluindo, aprimorando. Contemplamos a nossa encarnação futura como uma espécie de modelo ou de projeto daquilo que pretendemos alcançar e aprender quando entrarmos no corpo físico. Portanto, coletamos experiências e oportunidades no plano terreno que são especialmente valiosas para o nosso crescimento espiritual. Nosso carma entrelaça-se com o contexto de nossa encarnação seguinte e com a experiência que nos proporcionará.

Em última instância, estamos aqui para aprender sempre mais a respeito do amor. Pode soar algo simplista, mas, na prática, não é tão fácil. O amor tem muitos aspectos. Uma das primeiras lições que precisamos aprender sobre o amor diz respeito à auto-estima. Sem consciência do que somos, sem amor por nosso próprio ser, seremos incapazes de amar os outros. Quando conseguirmos aprender esse amor incondicional por nós mesmos, e pelos outros, nos tornaremos iluminados, ganharemos respeito pelas leis naturais de causa e efeito – não porque almejamos a melhor posição na vida, mas, principalmente, porque sabemos que esse é o único caminho. Compreendendo essa lei, e vivendo segundo seus princípios, ganhamos também respeito pela especificidade única de cada ser humano. E então nos tornamos capazes de viver em harmonia com nosso próximo, e em função do bem comum.

A INCLINAÇÃO PARA O SUICÍDIO

A terra é o lugar onde se experimentam os elementos e aspectos da condição humana – que não podem ser vivenciados em nenhum outro lugar. É um lugar de crescimento – e crescer não é fácil. A maioria das pessoas vivas hoje está constantemente pressionada por desafios de sobrevivência. Somos bombardeados com preocupações de ordem financeira, profissional, emocional, por problemas de saúde. Muitas dessas preocupações estão associadas com sentimentos de autodestruição. A certa altura, acreditamos: "Não posso suportar isso!" ou "É melhor morrer!".

A maioria das pessoas tem impulsos suicidas, pelo menos uma vez na vida. No entanto, esse tipo de impulso vem e vai embora, de acordo com a situação. O tipo de personalidade obcecada com a idéia de autodestruição – pessoas que fazem várias tentativas de pôr fim à vida – pertence, geralmente, a uma das seguintes categorias:

1. Uma pessoa com uma personalidade controladora e que de repente perde o controle dos acontecimentos.
2. Uma pessoa abalada por uma auto-imagem excessivamente negativa. Essa pessoa acha que não tem valor algum, nem contribui em nada para a sociedade. Ela chega a acreditar que o planetaestaria melhor sem ela.
3. Aqueles que sofrem de uma enfermidade em estado terminal e não querem suportar mais sofrimento e dor, até a morte.
4. Aqueles que estão mentalmente doentes ou que sofrem algum desequilíbrio bioquímico.

É compreensível que, por conta de determinados sentimentos, circunstâncias e crenças, alguém encontre uma forte razão para se matar. Entretanto, do ponto de vista espiritual, isso não está certo. Cada um de nós tem um destino para o qual nascemos. Nosso destino cármico pode durar um mês, apenas, ou trinta e cinco, ou mesmo oitenta anos. Antes de retornarmos ao plano terreno, nos imbuímos de um fortíssimo desejo de nascer, de usufruir da experiência física, e entramos neste mundo com uma espécie de mecanismo de tempo instalado em nosso complexo psíquico. Quando a vida é cortada, nosso corpo deixa de existir, mas restam sempre laços *magnéticos*, ainda ativos, de tudo o que deixamos no plano terreno. Esses laços completam sua missão apenas quando percorremos integralmente o tempo predeterminado para nós no plano terreno. Como está escrito: *Cada estação tem seu tempo*.

Quando alguém se mata, uma das primeiras coisas de que se dá conta é que, na verdade, não está morto. Persiste na pessoa uma sensação pesada, porque os laços com o plano terreno continuam, como parte de sua natureza. De certo modo, podemos dizer que essa alma não está totalmente livre. A personalidade mortal se vai, mas não a alma. A alma imortal continua existindo, estacionada entre o mundo físico e o espiritual – viva, mas incapaz de comunicar-se com seus entes queridos ou com qualquer um. A alma sente-se culpada, sofre, fica angustiada, depois de pôr fim à vida. Descobre que seu destino poderia ter sido significativo, que teria muito a dar ao mundo, se tivesse permanecido viva. No estado espiritual, torna-se consciente de que deveria ter passado justamente por aquelas experiências que acabaram levando-a ao suicídio. E, ainda, pressente a dor e a raiva que deixou naqueles que ficaram. O pior de tudo é que se encontra numa espécie de região do limbo. Não está apta a avançar para o reino eterno, nem pode retornar para o mundo físico. Está parada, imobilizada numa espécie de *terra-de-ninguém*, atormentada incessantemente pela lembrança do terrível ato que cometeu. Revê sua morte, vezes sem conta, como se fosse um filme velho, um filme muito ruim. Está presa numa armadilha, não há como sair.

Alguns espíritos de suicidas têm consciência do que fizeram. Mas muitos outros podem não estar cientes do que ocorreu. Por isso, revivem ininterruptamente seu momento de morte, como se fosse um círculo vicioso – que pode acabar tornando-se um tormento horrível. Eventualmente, o espírito acaba por convencer-se de que não pertence mais ao plano terreno.

A VISÃO ESPIRITUAL SOBRE O SUICÍDIO

Por trás de cada ato há sempre uma força poderosa, que chamamos de motivação. É a motivação que determina cada ato de nossas vidas – não apenas o suicídio. Como sempre afirmo, há uma lei natural de causa e efeito, ou seja, a ação é resultado direto da motivação.

No caso de doentes em estado terminal, ou de pessoas de idade avançada, algumas cometem suicídio para evitar que suas famílias gastem dinheiro, tempo, ou passem por muito sofrimento. Essas pessoas não estão conscientes do aspecto espiritual de suas ações. Talvez, antes de chegarem ao plano físico, os membros da família tenham acertado entre si determinadas condições, com o objetivo de desenvolver em grupo e mutuamente o seu carma. Ou talvez algum deles precisasse passar pela experiência de dar amparo a um doente. Alguns argumentam que, dependendo do caso, o suicídio administrado é a melhor alternativa – interrompe o sofrimento e propicia uma morte digna. Mas quem pode exercer o papel de Deus? Como podemos saber se aquela alma não escolheu passar pela experiência de uma doença fatal para purificar seu carma? Se abreviarmos o tempo natural de alguém no plano terreno, nunca saberemos se não estamos, com isso, impedindo que algo de valor seja aprendido, ou se aquela experiência, em especial, seria necessária para atingir um plano superior.

Todas as vezes que ocorre o suicídio, a alma deverá retornar para reaprender aquela experiência interrompida, ou seja, precisará voltar em outra existência e passar de novo pela mesma provação, ou algo similar. A provação pode não ser tão extremada como a que experimentou na existência anterior, porque parte dela já foi vivenciada. Geralmente, o espírito precisará esgotar a doença, para nunca mais voltar a tê-la.

Há duas exceções, entretanto:

1. Se o suicídio foi cometido por indivíduos que sofriam de doenças mentais ou de algum desequilíbrio bioquímico. Em tais situações, essas pessoas estariam com sua capacidade de decidir comprometida. Quando passam para o outro lado, descobrem-se em uma espécie de *abrigo*, onde recebem o auxílio de que precisam para curar-se. Com isso, suas almas recuperam sua integridade natural.
2. A segunda exceção ocorre quando a alma retorna ao mundo físico antes do momento apropriado e, ao contrário do que acreditava, não tem maturidade suficiente para lidar com as lições por que irá passar. Mesmo quando a alma acredita possuir a força necessária, chega ao plano terreno e é acometida de

um sentimento de inadaptação. As pessoas com esse tipo de deficiência freqüentemente, antecedendo sua morte, começam a dizer coisas como: "Eu não me encaixo em nada!" ou "Acho que nasci no tempo errado!".

A natureza de uma alma a leva a crescer e a aprender. Por isso, sempre trazemos para a vida determinadas situações que precisamos superar ou para as quais precisamos buscar o equilíbrio. Se nos déssemos conta de que, no plano terreno, é normal vivenciarmos algum tipo de sofrimento, seja físico, mental ou emocional, e de que o suicídio *não elimina* essa condição, acredito que haveria menos casos de pessoas tirando suas próprias vidas. Precisamos nos conscientizar, e especialmente nossos jovens, sobre o erro do suicídio, e sempre acentuar a responsabilidade que temos de viver nossa vida plenamente.

COMO OS VIVOS PODEM AJUDAR OS MORTOS

Muitos me perguntam o que deve ser feito com o corpo daqueles que cometem suicídio. O corpo é meramente uma concha. Ao deixar a concha, o espírito perde suas ligações com o envoltório físico. É como uma peça de roupa já gasta. No caso do suicídio ou de um acidente trágico, é importante que o corpo seja cremado. A cremação destrói o corpo rapidamente, e o espírito é liberado de qualquer resquício de ligação com o corpo. Assim, irá se tornar mais fácil para a alma conscientizar-se de sua nova situação.

Não há solução fácil para esse problema, porque as circunstâncias que cercam cada caso de suicídio diferem enormemente. Mas sempre podemos ajudar aqueles que cometem esse erro terrível. É importante entender que nossos pensamentos são a única maneira de alcançar essas pessoas. Portanto, para começar, podemos lhes enviar nossos pensamentos e dizer que parem de desperdiçar sua energia tentando retornar ao mundo físico. Eles devem se conscientizar de que deixaram para trás seu corpo material. A seguir, podemos lhes enviar pensamentos de amor, paz e perdão. Transmitindo-lhes pensamentos elevados, essas almas atormentadas serão confortadas e se tornarão mais aptas a aceitar a nova situação.

Como já frisei, há diferentes razões que levam à autodestruição, mas o resultado é sempre o mesmo. Até hoje, não encontrei sequer um espírito que possa me dizer que se considera satisfeito com sua decisão e que novamente cometeria suicídio. Pelo contrário. Todas as vítimas de suicídio compartilham de um sentimento de arrependimento pelo crime que cometeram contra suas almas. Posso dizer que todos os que entraram em contato comigo sempre tiveram recomendações a fazer para impedir que outros cometessem o mesmo erro. O suicídio retardou seu desenvolvimento espiritual e eles tiveram muita dificuldade para perdoar a si mesmos.

Escolhi algumas sessões como exemplo das circunstâncias em que certas pessoas se matam e as razões que as levam a isso, além de suas reações quando finalmente conseguem conversar com seus entes queridos a respeito do assunto. Muitas vezes, fui incapaz de alcançar uma vítima de suicídio simplesmente porque sua alma estava perdida, sem consciência de seu estado ou vagando em alguma região do limbo.

Sinto muito!

O caso a seguir mostra claramente um espírito perturbado que, depois de pôr fim à vida, nada mais queria, a não ser provar aos seus entes queridos que continuava com eles e que necessitava de seu perdão. Evidencia ainda toda a perplexidade daqueles que permaneceram neste mundo. Em meio à sessão, o consulente desmoronou e implorou o perdão daquele espírito, por sentir-se responsável pelo seu suicídio.

Eu estava em vias de fazer minha apresentação mensal na Igreja Metodista Unida de Hollywood. Minha sala de visitas, o lugar onde geralmente realizo minhas sessões, havia se tornado pequena demais para acomodar a multidão que costumava receber em noites como aquela. Geralmente, lá cabem trinta pessoas e, na Igreja, o salão comporta mais de duzentas.

O céu parecia um pouco pesado, naquela noite. Achei que, a qualquer momento, poderia cair uma tempestade que faria as ruas transbordarem. Estava de pé no altar, olhando para a multidão. O momento parecia estranho. Era incrível estar realizando uma demonstração em uma igreja. Ri sozinho: "Nossa! Se o padre amigo de minha família me visse aqui..." Iniciei minha meditação e, enquanto a conduzia, comecei a escutar o barulho da chuva sobre o telhado. E não era uma chuvinha à toa, era um aguaceiro! Vimos o brilho de um relâmpago e, logo depois, um trovão retumbou pelos céus. A luz dos raios atravessava o vidro das janelas – era um espetáculo e tanto; Spielberg não teria feito melhor.

Eu falei para a congregação:

– Bem, aposto que, se vocês não estavam assustados até agora, com certeza acabaram de ficar.

Como acontece em todas as demonstrações de grupo, nunca sei quem vai aparecer. Mas, logo comecei a escutar os pensamentos de um ser espiritual.

– Há uma mulher aqui e ela está me dizendo insistentemente um nome... Susan.

Imediatamente, ouvi uma mulher gritar. Ela estava na segunda fileira, do meu lado esquerdo. Olhei para ela e falei:

– Você conhece alguém chamada Susan?

– Talvez... quer dizer... Conheço uma pessoa com esse nome.

– Ela está me dizendo que você conhece sua mãe.

– Sim, falei com a mãe dela ontem mesmo. Tivemos uma conversa...

A mulher deu um grito assustado, como se fosse perder o controle.

Todos voltaram-se para ela. Obviamente, estava carregando algum sofrimento terrível. Aguardei alguns minutos.

– Esta mulher quer vir ao seu encontro... Parece que não é parenta sua, mas alguém muito próximo a você. Diz que a ama.

A mulher na platéia baixou a cabeça. Eu prossegui.

– Ela está me dando o nome de Kathy. Você sabe do que ela está falando?

A mulher enxugou as lágrimas e, sem levantar a cabeça, murmurou:

– É o nome dela!

– Ela está me dizendo que você acabou de entrar para um novo emprego e ela quer que saiba que a ajudou a consegui-lo. Ela está me mostrando também dois filhotes de gato, um com listras cinzas, o outro branco, com pintas pretas. Ela os está chamando de seus filhos.

– Sim, meus gatinhos, isso mesmo! Ela os está vendo lá em casa?

– Sim, ela quer que você saiba disso. Está falando também sobre um sino que eles tocam na cozinha. Acho que está preso à maçaneta da porta.

A mulher assentiu com a cabeça.

– Ela está me mostrando a casa. Mas, agora... hum... essa casa parece diferente do comum. É uma casa de madeira. De madeira clara, eu acho. Parece uma casa na montanha. Há uma balaustrada de madeira circundando a varanda da casa. Você conhece essa casa?

– Sim, é a nossa casa.

– Ela me diz que você planejava reconstruir alguma coisa, ou fazer obras para ampliar algum aposento na casa. É engraçado, ela está se referindo aos empreiteiros como idiotas.

– Sim... – a mulher falou, elevando um pouco a voz. – Estávamos querendo reconstruir uma parede externa, perto da varanda, e não conseguíamos encontrar o empreiteiro certo para fazer a obra. Todos eles nos enrolavam!

– Ela está me mostrando uma fotografia, numa moldura com a forma de um coração. Você sabe do que se trata?

– Sim, é a foto de Kathy. É a única foto que tenho dela. Por favor, diga a ela que sinto muito!

– Ela sabe disso! Mas diz que não foi sua culpa. Você sabe do que ela está falando?

– Foi minha culpa! Por minha causa, ela está morta!

Escutei com toda a atenção e de repente senti uma arma em minha boca.

– Estou com uma arma enfiada na minha boca! O cano é muito frio. Sinto dizer isso, mas parece que ela se matou com um tiro na boca, correto?

– Sim... – murmurou a mulher.

– Agora, algo que aconteceu antes de sua morte... Muitos gritos e choro. Ela estava envolvida numa espécie de discussão muito áspera?

– Sim...

– Ela disse que estava muito confusa, que se trancou no quarto por aproximadamente duas horas.

– Sim... Nós brigamos. Por favor, diga a ela que a amo muito e que lamento o que aconteceu.

– Ela sabe disso. Sua amiga está me dizendo que foi uma decisão dela pôr fim à vida. Na ocasião, ela queria que você se sentisse culpada, e sabe que isso foi errado. Está pedindo seu perdão pelo sofrimento que lhe causou. Ela quer que saiba que ela não tinha coragem de terminar o relacionamento de vocês, e pensar que existia outra pessoa foi demais para ela. Não conseguiu suportar. Isso faz sentido?

– Faz, sim. Eu compreendo. Mas nunca conseguirei me perdoar.

– Mas é o que deve fazer. Você não puxou aquele gatilho. Tentou falar com ela, mas ela não quis ouvir. Você não pode fazer o papel de Deus. Compreenda que sua amiga não pôde dar a si mesma o amor de que precisava para perceber o quanto era especial. Ela retornou agora para lhe dizer que não foi culpa sua o que aconteceu.

A mulher pareceu escutar o que lhe disse. A sessão prosseguiu por mais alguns minutos – eu estava recebendo uma mensagem para outra pessoa da congregação.

Durante o intervalo, aquela mulher veio ao meu encontro e me deu um abraço. Ela disse:

– Nunca acreditei em nada disso, até hoje. Mas agora sei que foi Kathy que veio até nós. Há provas demais de que foi exatamente o que aconteceu.

A mensagem de Kathy a havia ajudado enormemente. Ela afirmou que faria o esforço que pudesse para perdoar a si própria e que rezaria para Kathy ajudá-la.

A seguir, me contou que, na ocasião, estava tendo um caso com outra mulher. Quando confessou tudo a Kathy, dizendo que queria desfazer o relacionamento entre as duas, discutiram asperamente. Kathy foi para o seu quarto, pegou uma arma e carregou-a. Então, trancou-se no banheiro, enfiou a arma na boca e disparou.

Uma última coisa. Kathy mencionou para a amiga que a lembrança de sua morte ainda a atormentava, mas que estava recebendo ajuda de outros espíritos.

Nunca é tarde para dizer: eu te amo!

É uma pena quando um jovem que tem tudo para aproveitar a vida resolve matar-se. A família sente-se culpada e começa a acreditar que poderia ter feito alguma coisa para evitá-lo. O espírito da vítima, além de envergonhar-se do que fez, encontra muita dificuldade para perdoar-se e para reencontrar o amor por si próprio.

Foi o que aconteceu neste caso. Um jovem retornou para conversar com sua mãe sobre o amor que não fora capaz de perceber, até ser tarde demais. Embora esse encontro envolvesse enorme sofrimento, havia também certo otimismo. Foi uma das sessões mais tocantes que realizei, e o mais próximo que já cheguei de experimentar o real significado do amor incondicional – quando o amor está acima de qualquer julgamento.

Quando atendi a porta, ali estava parada uma mulher de altura mediana, com uma pele macia e um sorriso muito bonito. Parecia estar com quase sessenta anos, irradiava paz e autoconfiança. Ela se expressava muito bem e mostrava-se uma pessoa com os pés no chão em relação a si própria e à vida.

No início, ela afirmou que nunca participara de uma sessão e que não acreditava muito que dali pudesse resultar alguma coisa. Mas seu terapeuta achou que isso poderia ajudá-la a resolver algumas pendências do seu passado. Ela disse que "para viver no presente, tentaria qualquer coisa".

Senti imediatamente uma forte empatia por ela. Era extremamente charmosa e tinha um senso de humor aguçado. Obviamente, eu não dispunha nem de fatos nem de informações a respeito da pessoa com quem ela queria se comunicar.

– Você está confortável? – perguntei.

– Perfeitamente.

Então, iniciei a sessão.

– Há um homem de pé, atrás de você. Ele está me mandando lhe desejar feliz aniversário.

– Bem, obrigada. Meu aniversário foi há dois dias.

Prossegui:

– Trata-se de uma pessoa muito próxima a você. Está mencionando algo a respeito de ter ido para a África, ou de ter estado na África. Isso faz sentido para você?

– Claro que faz. Meu marido e eu vivemos muito tempo por lá. E esperamos retornar, algum dia. Que interessante!

– Você tem um filho e uma filha?

– Não, somente dois filhos.

– Esse homem atrás de você está falando algo a respeito de um filho. Mas não tenho certeza se ele é o seu filho, ou se está falando a respeito dele.

– Bem...

– Espere... Hum... Acho que entendi. Seu filho mais novo já faleceu, não é verdade?

– É, sim.

– É ele que está aqui. Atrás de você. Está muito perplexo, não consegue acreditar no que estamos fazendo. Ou... que você esteja fazendo isto.

– Isso faz sentido!

– Você sabe algo a respeito de uma coleção de artefatos tribais?

– Sim, meu marido negocia com antiguidades. Nossa casa é repleta desses objetos. Meu Deus, que impressionante!

– Estão me dando um nome... Andrew, ou Andy.

– É o nome dele. Costumávamos chamá-lo de Andy. Tem o mesmo nome de meu pai.

– Está me mostrando uma casa muito bonita. Há belas pinturas a óleo nas paredes. Parecem vir de diversas partes do mundo. É como se fosse um museu.

– Isso mesmo. Eu coleciono peças de arte. Na maioria, quadros a óleo. E tenho uma coleção bastante grande. Meu Deus!

Percebia que aquela mulher estava tentando adivinhar de onde eu havia conseguido essas informações.

– Agora... alguma coisa a respeito de viver nos fundos. Andy está me dizendo qualquer coisa sobre viver nos fundos.

– Temos uma casa de hóspedes, e Andy costumava usá-la como estúdio de pintura. Ele passava a maior parte do seu tempo ali.

– É por isso que está me mostrando cores tão bonitas. Estou vendo também a paleta de um artista.

A sessão continuou por mais meia hora, com algumas evidências inacreditáveis de vida após a morte. Com detalhes, Andy descreveu onde estava e o que vinha vivenciando.

– Ele está me contando que, logo que chegou, foi para uma espécie de hospital. Eles o ajudaram a curar-se de suas perturbações mentais. Agora, vive em uma colônia de artistas onde todos desenvolvem alguma atividade artística. Encontrou pessoas a quem pode compreender e que o compreendem. Está aprendendo bastante, a cada dia que passa.

A seguir, Andy começou a falar sobre o relacionamento com sua mãe e sobre como morreu.

– Seu filho é uma pessoa muito sensível. Sinto que era bastante infeliz. Ou, talvez, não exatamente infeliz, mas enormemente deprimido. Sinto que não conseguia controlar suas emoções. Ele usava drogas, ou algo assim?

– Sim... Andy tomava medicamentos prescritos por médicos. Era um maníaco depressivo. Mas também usava drogas ilegais.

– Bem... Posso sentir que ele estava sob o efeito de drogas, mas devo lhe dizer que ele está convencido de que sofria de algum desequilíbrio químico, e foi isso que o levou à morte. Ele está me contando que muitas vezes disse a você que a odiava.

– Sim, é verdade.

– Ele quer que você saiba que foram as drogas e sua própria frustração que o fizeram dizer essas coisas. Até passar para o outro lado, ele nunca foi capaz de entender seu ponto de vista sobre as coisas. Ele está me contando que você sempre tentou ajudá-lo e nunca se deixou abater. Diz que nunca elevou a voz contra ele, mesmo quando fazia algo errado.

A mulher se remexeu desconfortavelmente na cadeira e, então, falou:

– Não sei se foi bem assim. Mas é verdade que eu amava meu filho. Sabia que ele tinha um problema sério. E o que uma mãe deveria fazer? Eu o amava, acima de qualquer coisa. Nada mais importava, eu apenas o ajudei como pude.

Eu insisti:

– Mas mesmo nos períodos mais difíceis, pelo que ele está dizendo, mesmo quando a tratava de um modo horrível... nem assim você desistia.

– Eu sabia o que estava acontecendo com ele. Fiz de tudo para entender seu problema, para transmitir segurança a Andy. Eu o queria feliz, mas ele sempre foi uma pessoa solitária. Eu o amei e o amarei para sempre. Seu pai e eu tentamos de tudo. Era como se, algumas vezes, eu pudesse enxergar dentro de sua alma. Era terrível para mim sentir que ele sofria tanto.

– Ele lamenta o que a fez passar...

– Não precisa. Eu o amava!

A sessão tornou-se ainda mais intensa, inclusive no aspecto emocional, à medida que Andy começou a descrever sua própria morte.

– Seu filho está na parte dos fundos da casa, sentindo-se tremendamente angustiado. A idéia de terminar com tudo passa por sua cabeça. Ele sente que não suporta mais. Fica olhando em volta, tentando imaginar o que vai acontecer com suas pinturas, depois que morrer. Ele está muito deprimido. Há uma espécie de profundo rancor, contra si mesmo, dentro dele. Ele hesita... Você estava fora, quando ele morreu?

– Sim, estava. De fato, chegamos de viagem naquela tarde. Foi meu marido quem o encontrou.

– Seu filho está me mostrando uma área aberta, atrás da casa. Parece um campo plantado ou... um jardim muito grande...

– Exatamente! É incrível! Nem sei o que dizer, mas está absolutamente correto.

– Seu filho está me mostrando uma grande árvore. Parece um carvalho. Muito alto, muito grosso... Ele está subindo nessa árvore.

Imediatamente, comecei a sentir minha garganta apertar-se. Não conseguia mais respirar. E imediatamente experimentei a sensação da morte, porque Andrew me transmitiu exatamente o que sentiu naquele instante. Nesse momento, interrompi a sessão e pedi a Andrew que me mostrasse sua morte visualmente, para que eu não precisasse senti-la em meu corpo. Pedi ainda a meus guias que tomassem conta da comunicação, pois aparentemente o espírito com quem estava em contato não era capaz de controlar o que passava para mim, sobre sua morte. Muitos minutos transcorreram, antes que pudesse continuar. Andrew imprimiu visualmente em mim a cena de sua morte.

– Seu filho enforcou-se num carvalho, no jardim dos fundos. Com o auxílio de uma escada, ele subiu até um dos galhos e se atirou lá de cima. Foi isso, não foi?

A mãe de Andrew começou a chorar. Depois, confirmou a informação.

Andy mostrou-me a si próprio, flutuando acima de seu corpo.

– Ele não consegue acreditar que está morto. Ele se sente tão vivo, ainda... Ele acha que fez alguma besteira muito séria e está tentando retornar para seu corpo. Não consegue e fica muito frustrado. Começa então a chorar.

Eu estava transtornado com a experiência. Continuei descrevendo para a mãe a fantástica imagem transmitida à minha mente.

– Andy está dizendo que ficou esperando, por ali, sem saber o que fazer. Viu quando seu pai o encontrou. Estava tão abalado. Logo percebeu que havia feito algo errado. Lamentou muito pelo que fez seu pai passar, e por você também. Ele assistiu ao pai contando a você e viu quando começou a chorar. Ele a escutou, pensando que sempre soube que isso iria acontecer, algum dia. E também captou seu amor por ele. Ele se sentiu horrível, por tudo o que fez você sofrer.

– Por favor, diga a ele que eu o entendo.

– Ele diz: "Obrigado, mamãe! Me perdoe! Eu a amo muito, e ao meu pai também. Aqui há ótimas pessoas que me ajudaram a me acertar comigo mesmo. Foi difícil, mamãe... muito difícil!"

Expliquei para minha cliente que o espírito tem vontade própria e que pode assumir uma encarnação no momento errado.

– Quando isso acontece, a pessoa atravessa a vida sentindo-se incapaz de adaptar-se a qualquer coisa. Seu filho era tipicamente alguém cujo espírito ainda não estava pronto para uma nova experiência no plano terreno. Sua alma simplesmente não tinha maturidade suficiente para enfrentar o mundo.

– Isso acontece com bastante freqüência – acrescentei. – E, nesses casos, é uma sensação opressiva da qual o espírito tenta escapar. Por isso a pessoa comete suicídio.

Minha paciente entendeu perfeitamente o que estava lhe dizendo. Ela me informou que Andrew nunca de fato se adaptara ao mundo.

– Mesmo quando era pequeno, ele parecia diferente do seu irmão e das crianças da sua idade.

De certo modo, essa sessão confirmou a teoria sobre almas que voltam cedo demais ao plano terreno.

A mãe de Andrew estava feliz por ter feito contato com seu filho. Finalmente aconteceu o milagre pelo qual tanto esperara. Disse a Andrew que pensaria nele para sempre e, assim, através dela, ele poderia vivenciar um pouco do plano terreno.

Despedi-me dessa mulher agradecendo a bênção de ter encontrado em meu caminho uma alma antiga, sábia, capaz de enxergar o amor em todas as pessoas e em todas as experiências da vida.

Minha mãe e meu pai

Uma das experiências mais devastadoras para uma família é quando um de seus membros tira a própria vida. É um espaço vazio que não pode jamais ser preenchido, uma violenta ruptura, que deixa perguntas que nunca serão respondidas. Por que ela (ou ele) fez isso? Será que eu poderia ter impedido? *Será que ela (ou ele) lamenta o que fez? E agora, o que vai acontecer com ela (ele)?*

A cada ano, milhares e milhares de indivíduos passam pela devastadora experiência de ter um membro de sua família cometendo suicídio. Embora seja muito limitado o número de indivíduos que posso atender, fico muito feliz quando sou capaz de responder a essas perguntas com as mensagens transmitidas pelos espíritos.

Na sessão que se segue, pude também fornecer um *insight* valioso, penetrando na motivação que alimentava o ideal de vida desse espírito, e na razão de seu comportamento, no plano terreno. A informação foi útil para a consulente, por duas razões. Não apenas resolveram-se suas angústias a respeito do suicídio daquela pessoa, mas foi a maneira de esclarecer questões relacionadas aos seus pais – um relacionamento que ela lutara toda a sua vida para entender. Ocorreu uma cura, nessa sessão, algo que mudou completamente sua vida.

Abri a porta e uma mulher charmosa e atraente entrou. Seu nome era Nancy e aparentava apreensão e nervosismo. Eu a fiz sentar-se na sala de estar e conversamos sobre o que poderia esperar, naquela noite. Ela me confessou sentir certo desconforto e falou-me sobre sua preocupação em fazer contato com o mundo espiritual. Assegurei-lhe que não havia o que temer, que não precisava ficar nervosa. Disse-lhe que trabalhava pela inspiração da luz do amor de Cristo, e, se por alguma razão, a sessão a perturbasse, simplesmente pararíamos.

Nancy perguntou-me o que significava a luz do amor de Cristo. Expliquei-lhe que era uma luz pura, que não se propunha a julgar nem condenar, um amor incondicional, o mais elevado, corporificado no mestre chamado Jesus. Trata-se do mesmo amor em que o cristianismo se baseia. Sempre peço pela proteção dessa luz do amor, quando inicio meu trabalho.

Ela disse que confiava em mim. Depois de proferir minha oração de abertura, na sala onde realizo as sessões, comecei:

– Nancy, um guia egípcio, que trabalha comigo, me informa que as pessoas de sua família com quem você quer conversar estão aqui.

Nancy arregalou para mim seus enormes olhos azuis, sem conseguir dizer nada.

– Atrás de você, de pé, está uma senhora, usando um vestido verde e é muito bonita. Tem o cabelo castanho-claro, seu sorriso é discreto, mas doce. Seus olhos são azuis, muito bonitos. Ela me manda dizer que está bem, agora.

Nancy continuava a fitar-me fixamente.

– Sinto que essa pessoa é sua mãe. O nome Joan significa alguma coisa para você?

– Sim, é o nome da minha mãe. E ela está morta. Você a descreveu exatamente como ela era.

– Acho que agora está mais jovem do que em suas lembranças, Nancy. Ela me diz que você tem uma foto de casamento na qual poderá vê-la exatamente como está agora, no mundo dos espíritos.

– Sim, eu estava olhando para essa foto ontem à noite.

Nancy enxugou algumas lágrimas. Repetia o tempo todo que não conseguia acreditar no que estava acontecendo.

– Sua mãe quer que você saiba que ela encontrou Margaret e Katherine.

– Margaret é a mãe dela e Katherine é sua irmã – explicou Nancy.

– Ela está mencionando também o nome John... Você sabe de quem ela está falando?

– Sim... Oh, meu Deus! John é o meu marido. É o nome dele, sim. Mamãe pode vê-lo?

– Sim, pode. Ela manda um abraço para ele e pede que tome conta de você.

Podia sentir o espanto de Nancy. Ela sacudia a cabeça, descrente.

– Sua mãe está me passando a sensação de que estava muito doente, até falecer. Sinto que ela tomou muitos remédios... pílulas. Isso faz algum sentido?

– Foi isso mesmo.

– Você sabe que foi seu pai que a encontrou? Creio que ela estava caída no chão de seu quarto.

– Sim, é verdade.

– Sua mãe lamenta muito... Ela lhe pede perdão. Diz que não quis lhe causar tanta tristeza. Devo lhe dizer que sua mãe parecia estar com algum distúrbio mental. Ela entrava em depressão com freqüência?

– Bem... Entrava, sim! Eu não sei o que ela tinha, mas mamãe andava sempre doente. Quer dizer, eu era muito criança, mas a lembrança que tenho dela é essa mesmo.

– Ela está pedindo desculpas por não ter sido uma boa mãe para você. Parece que foi internada várias vezes em hospitais psiquiátricos.

– Ela passou a maior parte de sua vida internada. Sofria de psicose maníaco-depressiva.

– Eu sabia! – exclamei. – Ela sentia um grande desequilíbrio, um enorme descontrole sobre sua própria vida. Mas agora está tentando lhe dizer que a ama muito e lamenta não ter sido capaz de transmitir isso, enquanto esteve viva. Creio que sua mãe não compreendia o que era o amor e não sabia como dá-lo a alguém.

– Acho que é isso mesmo. Meu Deus!

– Nancy, acredito que o distúrbio mental de sua mãe causou sua morte. Ela cometeu suicídio?

Nancy começou a chorar.

– Sim... Tentei ajudá-la, mas ela não permitia. Acho que andava sempre deprimida demais. Eu tentei, James, mas não sabia como lidar com ela. Será que eu poderia ter feito alguma coisa para impedi-la de se matar?

– Não. Sua mãe era sua própria inimiga. Sua pior inimiga. Você não poderia tê-la impedido. Ela não a teria escutado, como não escutou mais ninguém.

Nancy sorriu, tristemente, e assentiu com a cabeça.

– Ela lamenta não ter sido uma mãe de verdade para você. Ela não queria fazê-la sofrer. Quer que lhe diga que adorava animais.

– Ah, sim, é verdade!

– Ela está me dizendo que Skippy... ou Skipper está com ela. Do que ela está falando?

Nancy arregalou os olhos, cada vez mais impressionada.

– Era um cachorro que a gente tinha, quando eu era criança. Mamãe o adorava. Skipper costumava dormir junto dela, toda noite. James, posso perguntar a você se a mamãe está feliz agora? Quer dizer... Ela está bem, nesse lugar? O que vai acontecer com ela? Para onde ela vai?

Mentalmente, enviei a pergunta para a mãe de Nancy. Aguardamos alguns minutos pela resposta. Quando perguntamos algo a um espírito, freqüentemente demora algum tempo para que a questão seja compreendida e a resposta seja formulada e enviada para mim.

– Sua mãe quer que eu lhe diga que ela está sendo auxiliada por uma outra senhora, uma espécie de conselheira. Sua mãe pôs fim à própria vida, mas não foi totalmente responsável por seu ato. Ela estava muito doente, muito perturbada. Desde que faleceu, está se dedicando a curar-se e aprendendo a abrir seu coração para o verdadeiro amor. Para saber encontrar o amor dentro de si. Ela está em um lugar acolhedor, muito parecido com o plano terreno, mas ainda mais bonito. Ela está dizendo que, apesar de morta, não está inativa. Longe disso. À sua maneira, está tentando recuperar o tempo perdido.

Desse ponto em diante, a sessão passou a desenvolver-se de uma maneira totalmente diferente. Continuei transmitindo a Nancy as mensagens de sua mãe.

– Ela quer que você saiba que está bem. Está com sua família, mas tem muito o que resolver consigo mesma. Sabe que ninguém poderá fazer isso por ela. Sente-se muito mal a respeito do seu pai. Está me dizendo que se sente responsável... Não entendo do que está falando.

– Mas eu entendo. – Ao dizer isso, Nancy recomeçou a chorar.

– Certo, deixe-me prosseguir. Seu pai... hum... é um homem muito amável, não é? Quando sua mãe falou sobre ele, imediatamente captei a vibração de um homem. Ele está de pé, junto a mim. Ele já faleceu?

– Faleceu, sim. Um pouco depois da mamãe. Ele está bem? Preciso saber, por favor, me diga! Ele pode me ouvir?

– Sim, ele está bem, está com sua mãe e diz que tudo o que queria era reencontrá-la e agora estão juntos. Ele está contando como é diferente o lugar onde estão; imaginava o Paraíso como um lugar com anjos e de harpas, mas não encontrou nada disso. Está numa região rural. Agora está dizendo foi muito estúpido!

– Continue...

– É estranho... Seu pai gostava de cavalos?

– Bem, ele cresceu em uma fazenda. Tenho certeza de que possuía cavalos, mas não sei se...

– Não, ele está falando de cavalos de corrida. Ele adorava cavalos de corrida e costumava fazer apostas.

– Meu Deus! É verdade! Todo sábado íamos ao hipódromo. Incrível! Ele continua fazendo a mesma coisa?

– Ele diz que até poderia, se quisesse. Diz que existem corridas por lá, mas que não existe dinheiro. Apostam só por prazer. Nancy, seu pai me pede para lhe dizer que sabe que a desapontou. Ele lamenta, mas estava se sentindo terrivelmente solitário.

– Eu entendo, papai... foi muito difícil, não foi?

– Nancy, não sei dizer o que isso significa. Seu pai está me mostrando um revólver. Parece um quarenta-e-cinco, mas... desculpe-me, não entendo nada de armas. É um revólver, e bastante grande. Está me mostrando também um quarto... parece escritório. Há uma escrivaninha e prateleiras cheias de livros, em volta. Vejo também um chamariz de caçar patos.

– Meu pai os colecionava...

– Ele está me mostrando uma poça de sangue e... ele está caído para trás, na cadeira. Meu Deus, ele se matou com um tiro, não foi?

Nancy chorava bastante. De seus lábios saiu apenas um murmúrio:

– Foi...

Eu estava chocado. Um suicídio já era terrível, mas ter o pai e a mãe mortos dessa forma era excessivo. Meu coração encheu-se de compaixão e solidariedade por Nancy. Precisei de alguns minutos para me acalmar.

– Lamento muito, Nancy. Não tenho a intenção de ser mórbido, mas preciso passar a você tudo o que recebo. Seu pai disparou um tiro contra a têmpora esquerda, não foi? Ele diz que você já sabe disso...

– É verdade! Fui eu que o encontrei morto. Passei o dia telefonando para ele, mas não atendia. Então, fui até a casa dele, quando voltava do trabalho. Entrei em seu escritório e o encontrei... A arma estava caída no chão bem debaixo do seu braço.

– Eu lamento muito. É terrível... Seu pai quer que lhe diga que cometeu um erro. Ele não sabia mais como viver sem a sua mãe. Está dizendo também que não queria tornar-se um peso para você e para John. Vocês tinham suas vidas. Muito interessante... Já escutei algo assim. Seu pai está dizendo que não precisou vagar por muito tempo, porque sua vida já estava mesmo para encerrar-se.

– Do que ele está falando?

Expliquei para Nancy que, quando alguém comete suicídio, permanece ligado ao plano terreno, até que chegue o momento em que, naturalmente, morreria. O falecimento de seu pai ocorreria em breve. Quando ele se matou, o tempo que lhe restava no plano terreno era relativamente curto. Transmiti a Nancy, ainda, que seu pai foi recebido por sua mãe.

– Mas como ela conseguiu? – perguntou Nancy, espantada.

– No mundo espiritual, sua mãe já havia passado para um plano ligeiramente mais elevado. Espíritos em planos mais elevados podem retornar aos planos inferiores para dar ajuda. Mas os que estão em planos inferiores não podem subir aos planos mais elevados, até merecerem isso.

A idéia pareceu estranha. Era sua primeira lição sobre o mundo metafísico. Assegurei-lhe que quanto mais estudasse metafísica, mais compreenderia o que eu havia lhe transmitido.

– Nancy, seu pai quer que lhe diga que reencontrou a felicidade ao lado de sua mãe.

– Isso me deixa... muito feliz. Meu Deus, estava preocupada com ele. Fico contente que esteja bem. E que estejam juntos de novo...

– Sim, eles estão juntos. Gozado, seu pai está mencionando um lago, ou uma casa à beira de um lago. Ele diz que sua mãe o está observando enquanto pesca, num pier. Não sei o que isso significa.

– Mas eu sei. Quando eu era uma garotinha, tínhamos uma casa de verão à beira de um lago. E meu pai costumava nos levar para pescar num pier. Foi ele quem me ensinou a pescar.

– Bem, seu pai quer que você saiba que ele está no Paraíso.

– Se ele está pescando, encontrou mesmo o Paraíso.

Com isso, encerramos a sessão, agradecendo aos seres espirituais e aos nossos guias. Proferi uma prece especial para Nancy, pedindo que a informação que ela obtivera servisse para lhe dar tranqüilidade espiritual. Sei que minha prece foi atendida porque, quando ia embora, voltou-se para mim, com lágrimas nos olhos:

– James, nem sei o que dizer. Foi um milagre. Eu me sinto tão leve! Sinto uma paz que venho procurando há vinte anos. Obrigada por me ajudar a encontrá-la. Deus o abençoe!

PENA DE MORTE

Desejo incluir neste capítulo mais duas idéias sobre uma vida que se interrompe prematuramente. Apesar de nem a pena de morte nem a intervenção de um médico significarem a mesma coisa que o suicídio, ambas acabam interrompendo o destino natural de uma alma. Ao afirmar isso, quero enfatizar que não apenas o suicídio é errado, mas também a pena de morte.

Uma das piores coisas que se pode imaginar é alguém tirando a vida de outra pessoa antes do tempo. É um ato devastador, terrível e absolutamente imperdoável. No caso de um assassinato, a justiça tem que ser feita. No entanto, existe a crença infundada de que, livrando a sociedade do assassino, redime-se o ato. Não é verdade. E, ainda, quando se acrescenta a essa crença o argumento de que a execução do criminoso poupa o dinheiro dos contribuintes, parece então que a pena de morte se torna aceitável.

É errado tirar a vida de outra pessoa, sob qualquer circunstância, incluindo a pena de morte. Peço que você se detenha por um instante e reflita sobre essa questão do ponto de vista espiritual, evitando que o emocional comprometa o julgamento. Nosso universo é muito maior do que somos capazes de conceber, e necessitamos enfocar essa e outras questões através de nosso olhar espiritual. Deus, em sua imensa sabedoria, criou o tempo próprio para cada forma de vida. O sol nasce e se põe, os planetas giram em torno de sua estrela, as marés sobem e descem, e cada alma tem sua alvorada e seu crepúsculo. Por conta desse tempo predeterminado, existe um momento para a alma deixar este mundo e para retornar ao reino espiritual. E só Deus sabe que momento é esse.

Quando uma pessoa é arrancada violentamente de seu corpo físico, antes do momento previsto, há conseqüências espirituais. Assim como no caso do suicídio, as ondas magnéticas daquela alma permanecem na atmosfera terrestre até completar-se seu tempo natural de estada neste plano. Quando o espírito de um indivíduo é expulso de seu corpo por meio da pena de morte, a personalidade criminosa permanece exatamente a mesma, no estado que antecedeu a execução. Ao alcançar o outro lado, encontra-se, geralmente, apavorada, cheia de ódio porque não está evoluída e ignora as leis espirituais. Na maioria dos casos, essa alma perambula incessantemente através do nível astral mais baixo, juntamente com outras almas em condições semelhantes. Esses espíritos atormentados carregam tanto rancor que, geralmente, buscam vingança, por causa da morte que tiveram. Procuram mentes mais frágeis, no plano terreno, a quem podem influenciar e levar a matar e a ferir seus semelhantes. Parece coisa de cinema, não é? Mas trata-se da mais pura verdade.

A melhor coisa que podemos fazer é reabilitar e educar os detentos a respeito do valor divino da vida. Pode parecer algo sonhador, mas, se destruirmos alguém antes que seja chegada a sua hora, deixamos de lado toda a possibilidade de reabilitação. Um instante – é tudo o que é necessário para alguém tornar-se capaz de enxergar a Luz de Deus e, através dela, ser transformado. Um indivíduo reabilitado desse modo pode, algum dia, impedir que outra vida seja destruída. A porta do crescimento e da iluminação deve ser mantida permanentemente aberta.

Com a pena de morte, continuamos apenas propagando a violência de uns contra os outros. Vamos parar um pouco, antes de ativar a corrente elétrica, e pensar nas conseqüências de nosso ato. Compreendendo as implicações espirituais, podemos começar a rever nossas crenças e questionar as razões que nos levam a defender e a utilizar a pena de morte. Nossa sociedade tem a responsabilidade espiritual e ética de prestar assistência a essas almas pouco evoluídas e tão atormentadas.

Por favor, entendam que eu não desculpo assassinatos. Quero salientar que alguém que tira a vida de outra pessoa o faz por ignorar o aspecto divino de si mesmo. Se alguém está em harmonia com sua espiritualidade mais íntima, saberá que matar outra pessoa é algo absolutamente fora de cogitação. Quem somos nós para julgar nosso próximo? Sabemos o suficiente sobre as leis da vida para tomarmos o lugar de Deus? Asseguro que nenhum de nós possui tanto poder. Mais uma vez, precisamos manter nossas mentes abertas e aprender a olhar para as coisas a partir de uma responsabilidade e de uma perspectiva inspiradas na espiritualidade.

MÁQUINAS DE SUSTENTAÇÃO DA VIDA

Quando alguém está sendo mantido vivo à custa de equipamentos – assim como um respirador artificial –, acredito, mais uma vez, que esteja em curso um plano divino. Em cada doença ou crise de saúde há crescimento, evolução, algo do qual os indivíduos e a sociedade podem aprender uma lição. As descobertas médicas e toda a inovação tecnológica são partes desse crescimento. Cada invenção nos chega no momento certo. Talvez houvesse mais avanços ainda se a mente humana não fosse tão subordinada à política e ao ganho material.

Assim mesmo, a humanidade progrediu na descoberta de recursos para dar uma melhor qualidade de vida às pessoas. Incontáveis vidas já foram salvas graças à tecnologia médica moderna, incluindo aí medicamentos poderosos e vacinas desconhecidos um século atrás. A ciência deve orgulhar-se dessas conquistas, especialmente de sua capacidade de manter a qualidade de vida das pessoas. A palavra-chave é justamente essa: qualidade. Os médicos não estão aqui para desempenhar o papel de Deus – e sequer seriam capazes, mesmo que o desejassem.

Não vou entrar no mérito de decidir se é errado ou certo manter a vida de uma pessoa por meio de uma máquina como essa, mas quero dizer o seguinte: existe um tempo certo para uma vida iniciar-se e encerrar-se. Acredito que, quando chega a hora de o espírito sair do corpo físico, é isso o que deve acontecer. A ciência não é capaz de deter o relógio universal do tempo – ao contrário do que julga –, mesmo que empregue todos os recursos de que dispõe. Decididamente, acredito que uma alma deve passar por todas as experiências possíveis. Ao ficar ligada a uma máquina de sustentação de vida, uma alma pode estar ajudando a ciência, de algum modo, a avançar para outra descoberta ou para alguma grande invenção que sirva às gerações futuras. E isso não apenas no sentido médico, mas também de outras maneiras. Devemos sempre encarar uma situação como essa do ponto de vista espiritual. Talvez aquela alma tenha se comprometido, antes da encarnação, a vivenciar tal situação. Pode ser que esteja auxiliando sua família a desenvolver amor e compaixão, através de seu sofrimento. Nunca devemos esquecer de que a alma tem uma lição a aprender no que diz respeito a receber amor e a compreender o caráter divino da vida.

Como em todo julgamento moral, cada alma deve tomar essa espécie de decisão por sua própria conta. Mais uma vez, vou repetir que cada alma é única, cada qual tem diferentes necessidades espirituais e deve aproveitar sua experiência para obter o melhor no sentido de seu crescimento e evolução. Não existem respostas *certas* ou *erradas*. Não cabe a nós julgar as decisões alheias nessas questões, mas apenas valorizar a experiência e as lições correspondentes de um ponto de vista espiritual.

Capítulo 8

O Reencontro dos que se Amam

Acredito que o aspecto mais importante do meu trabalho é desmitificar o poder que usualmente conferimos à sensação de medo. O medo é uma ilusão e também o principal empecilho ao crescimento do indivíduo. O medo prende as pessoas aos seus conflitos interiores, tolhendo a liberdade. Viver com medo opõe-se a viver *com amor,* o que indiretamente nos afasta de uma vida produtiva, plena de criatividade.

O medo é como um círculo vicioso. Quando penetramos nele, lhe damos vida; por conseqüência, atraímos o objeto de nosso medo e, aí sim, o medo torna-se real para nós. Precisamos entender que nossos pensamentos possuem o poder de criar coisas. Podemos utilizar a energia do pensamento da maneira como quisermos, porque dispomos sempre da liberdade de escolha. Mas devemos ter em mente que somos responsáveis pelos resultados de nossos pensamentos. Quando insistimos em dirigi-los em um certo sentido, como para o medo, a energia desse pensamento irá tomar forma em nossas vidas.

Quando inicio o processo de leitura psíquica dos meus clientes, informo sobre a maneira como estão permitindo que o medo penetre em suas mentes e como isso pode afetar seus corpos, sua saúde e suas vidas. Do modo mais simples possível, ajudo-os a reconhecer esse inimigo e a encontrar maneiras de modificar as crenças e procedimentos que conduzem ao medo. Se conseguem colocá-las em prática, ganham acesso a um enorme potencial de possibilidades criativas que residem no íntimo de cada um.

O princípio é sempre difícil. As pessoas costumam resistir muito a mudanças, especialmente depois de décadas de condicionamento na família, na sociedade, e sob influência da religião. Entretanto, tenho sempre a possibilidade de plantar uma semente que os ilumine e lhes permita enxergar alternativas. Abrindo essa nova porta em suas mentes, posso orientá-los a utilizar seus pensamentos de maneira positiva, impregnada de amor.

Um dos maiores medos que nos aflige é o da perda. Para algumas pessoas, o medo da perda expressa uma impossibilidade de usufruir da felicidade, da abundância ou dos bons sentimentos que cercam suas vidas. Aqueles que possuem tudo o que sempre desejaram podem ser acometidos pela sensação de que, de alguma maneira, não merecem a felicidade ou a prosperidade que lhes é dada. Outros são incapazes de até mesmo imaginar a vida repleta de alegria porque seria *bom demais para ser verdade.* Acham sempre que algo vai começar a dar errado – e, normalmente, é o que acontece. Sempre digo a meus clientes que todos somos feitos de Luz. A Luz nos envolve, uma Luz sempre criativa, benfazeja. Mesmo quando não enxergamos a Luz, devemos acreditar que através de Deus (Luz) tudo é possível. Deus sempre diz *sim!* Somos nós que dizemos *não!*

O medo da morte faz parte desse medo da perda. Estou convencido (e isso talvez venha das minhas antigas aulas sobre teoria freudiana) de que, inconscientemente, o desejo ou instinto de sobrevivência é o mais poderoso que existe. Muitos de nós não desejamos sequer tomar conhecimento do fato de que a vida, um dia, termina, e por isso tememos a morte. Esse medo resulta do fato de a morte ser algo que não podemos controlar. A morte é absolutamente desconhecida. Está além dos sentidos humanos e de nossa capacidade racional – está fora de nossa lógica. Tememos o desconhecido porque não sabemos o que nos espera. E não apenas desconhecemos o que nos espera, em relação à morte, mas para onde iremos depois. É uma pena que tantas histórias de vida se encerrem com a morte, porque é justamente esse condicionamento – reproduzido incessantemente por nossa sociedade e por sua visão simplista da morte – que reforça nosso medo.

É impressionante para mim que tantas pessoas acreditem ainda que, quando morremos, deixamos de existir. Acredito que o trabalho que executo seja válido no sentido de modificar esse ponto de vista e de abrir a cabeça das pessoas para algo que existe além de seus sentidos físicos. No momento que transmito a mensagem de um espírito para um ente querido seu, no plano terreno, a vida desta pessoa se transforma para sempre. Olhando para trás, lamento não ter registrado cada uma de minhas incríveis experiências em vídeo. É difícil relatar a reação das pessoas com palavras – nunca é a mesma coisa que assistir à pessoa ao vivo, em toda a glória desse momento. Com este livro, consegui compartilhar com vocês um pouco desses sentimentos. Quando uma conexão entre dois mundos – o físico e o espiritual – se estabelece, ocorre um miraculoso reencontro.

É bastante compreensível que tantas pessoas fiquem nervosas, quando chegam a mim. Na maioria dos casos, é sua primeira experiência com espiritualismo. Ou seja, elas não têm nada em que basear suas expectativas, a não ser alguma coisa que tenham lido a respeito, ou as histórias repletas de inexatidões que viram no cinema e na tevê. Quando começo a sessão com clientes nervosos ou ansiosos, tenho de deixar claro, desde o início, que os espíritos usarão tanto as suas energias quanto as minhas. Essa energia é muito parecida com a que corre na rede elétrica. Se o consulente estiver nervoso, enviará uma espécie de freqüência ou de onda energética através dessa corrente – as mensagens chegarão a mim confusas. Quanto mais tranqüilos estiverem, melhor e mais clara será a conexão e mais fácil para mim discernir os pensamentos dos espíritos. O mais importante é obter a confiança de meus clientes. Quando inicio dizendo algo sobre eles próprios que mais ninguém sabe, dão-se conta de que o que faço é legítimo e suas defesas começam a cair. Só então sou capaz de avançar, de abrir a porta para o espírito e de introduzi-los no desconhecido.

Uma sessão pode iniciar-se comigo captando um nome, um traço especial de personalidade, ou descrevendo o espírito que vejo. Posso apenas precisar dizer: "Tenho o seu pai aqui e ele está me contando que morreu de um ataque cardíaco."

Quando a pessoa reconhece a informação e aceita aquele espírito como sua fonte, toda a energia do ambiente se transforma. O encontro começou e uma excitação percorre o ar. O cliente passa não apenas por uma mudança mental, mas também por uma mudança física – os olhos se arregalam, a boca se abre, gotas de suor se formam na testa e o coração dispara. O cliente quer escutar mais informações e começa a falar diretamente com o espírito. Geralmente, preciso pedir à pessoa para acalmar-se, para tentar se controlar, porque o espírito faz grande esforço para concentrar seu pensamento em mim e qualquer desvio de atenção pode interferir na comunicação.

Além dessas demonstrações visíveis, os clientes também são tomados de emoção e muitos deles começam a chorar. O choro é uma mistura de tristeza, prazer extremo, felicidade e alívio. Quando lhes transmito certas características muito particulares, a revelação atinge em cheio seus corações: então, *meu ente querido não está morto, de fato!* Além disso, *sentem o amor* que emana do espírito, como uma dádiva. Mensagens detalhadas continuam sendo passadas para o grupo – ou para a pessoa, em particular –, de maneira a levar um autêntico São Tomé a deixar de lado seu ceticismo e a encher-se de esperança. A aparência sofrida transforma-se em pura alegria, felicidade, êxtase. Além disso, as evidências apresentadas servem como prova de que há vida após a morte – e isso é o bastante para tocar profundamente a qualquer um.

Quando um reencontro entre os vivos e os mortos acontece, pode ser a primeira oportunidade para o vivo compreender que a morte não lhe tomou o amor vivido no passado, com a família ou com amigos. Em vez disso, descobre que seus entes queridos permanecem com eles, e que nutrem um interesse constante por seus assuntos diários. Os vivos sentem-se mais tranqüilos, sabendo que seus entes queridos irão ao seu encontro, quando chegar a hora de passarem para o reino espiritual. E se dão conta de que não poderão continuar tocando suas vidas da mesma forma como vinham fazendo, a partir do momento em que sentem o amor e testemunham os depoimentos provenientes do outro lado – que não mais faz parte do *desconhecido*. Cientes de que *não existe morte* de fato, tornam-se livres para usufruir da vida. Em apenas um instante, uma vida abafada pelo sofrimento está pronta para aproveitar cada dia e cada momento, como uma bênção renovada.

Com essa nova consciência, a pessoa reconhece que tem uma contribuição única e importante para dar ao mundo e deixa de desperdiçar o precioso tempo de que dispõe. Começa ainda a olhar a vida atento para o fato de que somos todos um único ser – o que afeta a um afeta a todos. Passa a sentir-se mais responsável por cada pensamento e cada reação que produz, porque sabe – informado por aqueles a quem mais ama – que irá ser defrontado com seus atos, no mundo espiritual. Meus clientes também são informados pelos espíritos de seus parentes de que o plano terreno não é o único campo de encontros. Eles, no outro lado, reencontraram-se com os membros mais antigos de suas famílias, com amigos, colegas de escola e de trabalho. Depois de anos de separação, entram de novo em contato com seus seres amados, no outro lado, onde o amor permanece para sempre.

Em outras palavras, ninguém, jamais, estará sozinho.

Feliz aniversário

Um dos reencontros mais emocionantes de que participei envolveu a sólida relação de amor entre duas pessoas. Recebi uma chamada telefônica de um homem chamado Larry Gray. Ele tinha setenta e tantos anos e falava com uma voz profunda, algo teatral, combinada com maneiras muito refinadas. Um amigo comentara a meu respeito e ele ficara imaginando se eu poderia auxiliá-lo a realizar "algo especial". Ele me contou que estava chegando o dia de seu qüinquagésimo aniversário de casamento.

– Quero comemorar a data com minha esposa. Só existe um problema... Ela está morta.

– Bem, acho que podemos contornar isso. Vamos marcar um encontro.

No dia e hora combinados, chegou Larry Gray, com seus quase um metro e noventa de altura, vestido num elegante terno marrom no estilo dos anos setenta. Não pude conter o pensamento: "Que pessoa mais doce!"

Larry começou a falar:

– Espero não estar atrasado, nem fazer você perder seu tempo.

Larry tinha a mania de pedir desculpas por cada coisa que fazia. Parecia não querer ferir ninguém.

– Mas é claro que não, Larry. Estava esperando por você. Por favor, entre.

Eu o conduzi para a sala de estar e lhe pedi que sentasse no sofá. Expliquei como funcionava meu trabalho, proferi minha oração de abertura e, quando a completei, olhei para o lado direito de Larry e vi ali uma loura muito bonita, vestida à moda dos anos quarenta.

– Creio que sua Kay está em pé, aí do seu lado. Ela está trajando um vestido rosa, de tom suave. E parece bonita como uma atriz.

– É porque ela era, de fato, uma atriz. Nós nos encontramos encenando uma peça, em Berkeley – explicou Larry.

– Ela o chama de: "Meu amor". Ela diz "Amor", em vez de dizer seu nome.

– Ah, sim... Nós nos chamávamos de muitas coisas. Meu Deus, devo estar parecendo um velho. Meus cabelos estão inteiramente brancos.

– Ela diz que se casou com seu coração, não com seu cabelo.

Ambos rimos, e eu prossegui.

– Kay diz que você tem uma linda voz, que costumava cantar o tempo todo.

– Isso mesmo! Todo final-de-semana vou para a Igreja da Ciência Cristã e canto no coro.

– Ela está falando sobre o casamento. Vocês se casaram fora do Estado da Califórnia... Nova York, talvez.

– Exatamente, em Nova York. Será que ela pode dizer a data.

– Acho que ela está me enviando o ano de 1940.

– Isso mesmo! E sobre a igreja? Ela pode lhe dar o nome da igreja?

– Vamos ver... – Esperei alguns minutos, e tudo o que recebi foi algo a respeito de uma espécie de igreja para atores...

Larry explicou:

– Bem, a igreja ficava bem numa esquina e os atores de todos os teatros em volta costumavam freqüentá-la. Ela pode lhe dizer onde morávamos?

Transmiti essa pergunta mentalmente para sua esposa e, depois de alguns minutos, disse:

– Ela está dizendo alguma coisa sobre a parte de cima da cidade. Talvez na Zona Oeste. Um apartamento pequeno.

– Bom, muito bom. Sim, chamavam a área de Washington Heights. Nossa, isso me dá um arrepio.

– Larry, ela está mencionando alguma coisa sobre a Filadélfia. Vocês tinham alguma ligação com a Filadélfia?

– Sim...

– Ela está falando sobre ir para a Filadélfia de trem. Vocês tinham parentes na Filadélfia? Sabe do que se trata?

– Sim...

– É algo sobre a época do casamento de vocês. Estavam morando em Nova York e viajaram para a Filadélfia.

– Depois que nos casamos, houve um período em que precisei ir para a Filadélfia todo domingo. Isso durou algum tempo, até que larguei minha igreja de lá e consegui uma outra em Nova York . – Ele começou subitamente a rir e a bater palmas. – Isso é ótimo! Incrível! Vamos, o que mais?

– Kay está me dizendo que estava sozinha, quando morreu, mas foi do jeito que queria. Por favor, não se perturbe por isso.

– É verdade, Kay. Isso me doeu um bocado. Por Deus, você não podia ter esperado?

– Não, ela precisava partir, quando chegou a hora. Ela é uma mulher tão meiga... Está usando um bonito chapéu. Ela me diz que adorava usar chapéus, e que dizia a você: "Vou ao centro da cidade comprar um chapéu!"

– Exatamente! Nossa, isso foi há tanto tempo! Kay adorava chapéus... isso mesmo! Meu Deus, ela tinha uma bela coleção de chapéus. E ela vestia-se sempre tão bem! Amava as cores, amava coisas bonitas.

– Ainda ama. Ela está falando sobre um piano.

Larry sorriu e pediu a Kay insistentemente que dissesse alguma coisa sobre o piano.

– Ela me conta que vocês tinham um piano em casa e ela adorava tocá-lo. Tocava piano todo o tempo. Está mencionando algo também sobre Wagner. Sabe do que se trata?

– Mas é claro que eu sei! Que impressionante! Comprei um piano para Kay... ainda está lá em casa. Mas era eu que o tocava, Kay nunca tocou piano. Eu costumava cantar, e ela cantava comigo. Fazíamos uma dupla e tanto, não era, Kay? Ah, sim, ainda toco piano. Ela me vê tocando?

– Vê, e ainda fica sempre à sua esquerda, no lugar de costume. E sobre Wagner? – perguntei a Larry.

– Bem, minha nossa... tenho até vergonha de falar nisso, mas eu adoro colecionar discos antigos. E amo música clássica, em particular. Estava botando para tocar um disco com música de Wagner, ainda outro dia... Parece maluquice... Mas foi isso mesmo. Eu me sentia tão relaxado...

Ambos sorrimos. Prossegui com o restante das mensagens:

– Larry, Kay quer que lhe diga que ela esteve com você no cemitério, hoje cedo.

– Bem, hoje é nosso aniversário de casamento e quero que ela saiba que a amo e que penso nela o tempo inteiro. Você sabe disso, não é, Kay?

– Sim, ela sabe, e apreciou muito você ter vindo aqui hoje. Ela adorou as rosas que deixou no cemitério.

– Ah, isso não foi nada. Mas eu achei mesmo que ela ia gostar.

– Gostou, sim. Ela está me mostrando uma cripta. Ela está numa cripta, não é?

– Sim, e logo vou estar lá com ela.

– Ela está me mostrando você, com as flores. Gozado, ela está colocando uma espécie de bengala em suas mãos. Não sei o que isso significa, e você?

– Bem, a sepultura fica no alto, é uma subida e tanto. Para ir até lá com as flores, precisei do auxílio de uma bengala. Será que é disso que ela está falando?

– É, sim. E ela o acompanhou, na subida.

Kay começou a me enviar outra mensagem, muito rápida. Olhei para cima e lhe disse:

– Estou entendendo... Obrigado.

Então, voltei-me para Larry:

– O lugar da sepultura fica mais para trás das outras? É estranho o caminho até lá... Parece ficar afastado, para trás, com uma descida por degraus de mármore, e depois um pouco para o lado. Ela está me contando essas coisas...

Larry ficou na dúvida, e eu continuei tentando decifrar a mensagem de Kay. Eu estava muito confuso, assim como Larry. Fui em frente:

– Há uma senhora de pé junto de Kay. Possui uma voz muito distinta, muito teatral também. Acredito que cante ópera. Ela está falando novamente sobre o piano. Sabe quem poderia ser?

– Sim, é claro. É Esther. Ela era uma incrível cantora. Costumávamos os três ir ao teatro juntos. Ela foi minha professora de piano por anos e anos. Meu Deus, como é bom ouvir notícias suas.

– Essa senhora quer que lhe diga que há um enorme teatro comunitário, onde ela está. No entanto, ela diz que é diferente. A música não soa como na Terra. Ela diz: "É como se por aqui tivéssemos pura harmonia. Na Terra, fala-se muito de como isso poderia ser, mas ninguém chega perto sequer de imaginar como é, na verdade."

– Lindo...

A sessão continuou por alguns minutos, com a esposa e a professora evocando lembranças dos dias que se foram. Foi um belo aniversário de casamento. Eu pensava comigo mesmo: "O que mais ela poderia dizer para coroar tudo isso?" E havia mesmo algo reservado para o final.

– Larry, você sabe de alguma coisa sobre Paris? Quero dizer, você e Kay chegaram a passar algum tempo por lá?

– Passamos sim. O que ela está dizendo sobre isso?

– Alguma coisa sobre estar na Torre Eiffel, de Paris, e que isso foi um dos momentos mais felizes de sua vida. Você sabe ao que ela está se referindo?

Larry começou a chorar. Depois, enxugou os olhos e me encarou fixamente:

– Foi um dos dias mais felizes da minha vida também. Foi assim que passamos o primeiro dia de nossa lua-de-mel.

– Kay está dizendo que toda a sua vida de casada com você foi uma lua-de-mel – acrescentei.

Larry sorriu, e eu prossegui:

– Ela sempre estará com você, Larry, e... espere. Ela quer mais uma coisa. Está dizendo para você ir para casa e tocar para ela ao piano uma canção de amor.

– Rapaz! – Larry soltou uma risada. – Essa é a Kay, mesmo, sem dúvida. Ela nunca sabe quando parar.

E eu lhe disse:

– Isso, ela nunca vai aprender!

Charlie

Encontro a recompensa pelo meu trabalho no contato com pessoas que se amam muito. Sempre pensei assim, até que certo dia recebi uma chamada e a telefonista me disse que uma pessoa surda queria conversar comigo, pelo telefone. A telefonista traduziu nossa conversa. O nome dessa senhora era Susan. Ela estava muito deprimida e pediu para marcar uma consulta. Acertamos a data e, no dia combinado, eu ainda não tinha certeza se aquilo funcionaria.

Às onze horas, a campainha da porta foi tocada. Eram duas mulheres. Uma mais alta e magra, a outra um pouco mais robusta e de cabelos avermelhados. A mulher mais magra apresentou-se como Kathy e disse que seria a intérprete.

Quando nos instalamos na sala de sessões, combinamos que o melhor seria Susan sentar-se em frente a mim e Kathy ficar às minhas costas.

Fiz minha introdução, explicando o processo de comunicação espiritual. Costumo falar bastante rápido, mas Kathy conseguia me acompanhar perfeitamente. Estava fascinado com a velocidade com que ela transmitia tudo o que eu dizia. Ainda hoje, lembrando essa situação, recordo como me tocou o amor e a generosidade com que Kathy exercia seu trabalho.

Iniciei a sessão fazendo o *mapa psíquico* de Susan. Para fazer esse mapa, geralmente seguro uma prancheta e uma caneta, sintonizo-me no padrão de energia da pessoa e escrevo, ou desenho, as impressões que recebo. É como começo a sessão – algumas vezes – para agilizar a comunicação. Claro, se eu fornecer à pessoa informações corretas sobre sua situação psíquica, já de princípio irá convencer-se de que meu trabalho é legítimo. As defesas e as dúvidas são removidas, e a comunicação com o espírito torna-se mais fácil. Susan parecia uma pessoa muito solitária e resistente. Descrevi sua família, que não era comunicativa nem aberta, e disse que sua surdez devia-se ao insuficiente desenvolvimento de dois pequenos ossos em seus ouvidos. Algo de nascença... Ela confirmou minhas informações. Ficou muito satisfeita que tivesse conseguido acertar em algo tão específico. Terminado seu mapa, proferi minha oração e comecei o processo de me abrir para os contatos. Imediatamente, comecei a receber informações sobre o lar de minha cliente.

– Muito estranho... Acho que estão me mostrando sua residência. Você tem um sofá, numa tonalidade castanha, debaixo da janela... com algum tipo de forro ou de alcochoado colorido por cima?

Através de Kathy, Susan respondeu:

– É isso mesmo. Tenho um sofá do jeito como você descreveu.

Devo dizer que era bastante diferente receber a resposta por meio de alguém postado atrás de mim. Mas acabei por me acostumar:

– À direita do sofá há muitos retratos, sobre uma prateleira metálica. Também estou vendo flores... mas... podem ser flores de plástico, ou de seda, arrumadas em um vaso nessa prateleira.

– Exatamente.

– Também me mostram um carpete alaranjado. Está um tanto gasto em um ou dois pontos, especialmente perto da porta. Creio que é a porta da frente de seu apartamento. Agora, me mostram a cozinha. Espere... Ainda não sei quem está me dando essas informações. Vamos perguntar.

Mentalmente, pedi ao espírito que se identificasse. Não houve resposta. Assim, decidi seguir em frente. Mostraram-me muitas fotos por sobre a geladeira e eu as descrevi para Susan:

– Há uma porção de fotos aqui... Muitas delas são de um cachorro!

Susan começou a rir. Contou-me que eram fotos de seu cachorro. Continuando, senti repentinamente uma onda de amor preenchendo a sala. Amor incondicional, dotado de enorme nobreza. Então, brotou um nome: "Charlie!"

Foi pronunciar o nome e Susan começou a chorar histericamente. Eu estava totalmente perdido, e encarei-a, esperando dela alguma resposta ou uma explicação. Obviamente, eu havia atingido algum ponto extremamente sensível e queria saber do que se tratava.

Kathy falou por Susan:

– Sim, ele mesmo... Charlie é o meu cachorro. É com ele que eu queria entrar em contato. Morreu dois meses atrás e sinto uma saudade muito grande dele.

Mal podia acreditar no que ouvia. Dei-me conta, então, da razão por que estava tendo dificuldades para identificar com quem estava mantendo contato. Estava procurando uma pessoa. No entanto, a partir daí, tudo começou a fazer sentido – as informações vinham de um cachorro. O cachorro estava me mostrando coisas que ele podia compreender.

Susan transmitiu sua resposta para Kathy:

– Susan está nos dizendo que Charlie adorava sentar-se naquele sofá. Era onde passava a maior parte do tempo. De vez em quando, também passava as garras no carpete, bem em frente da porta, como se estivesse enterrando alguma coisa.

– Compreendo... Bem que estava estranhando ver tudo de um ângulo de baixo para cima. Mas agora está claro... eu estava vendo pelos olhos de Charlie.

Um instante depois, recomecei:

– Charlie está mandando muito amor para você. Ele está me mostrando uma luz vermelha... está me dizendo que algo acontece quando se acende essa luz vermelha.

Susan estava muito agitada, fazendo sinais frenéticos para Kathy.

– Isso mesmo, é a luz que me chama a atenção para o toque do telefone. Toda vez que a via, Charlie vinha atrás de mim, me chamar. Ele era o máximo. Parecia até gente.

– Charlie está me transmitindo a imagem de uma coleira com pedras preciosas... Bem, parecem diamantes. Mas tenho certeza de que não são autênticos.

Susan riu, e nos disse que não eram mesmo de verdade, mas que brilhavam bastante. Ela confessou que ficava zangada quando brincavam com Charlie, dizendo que a coleira era *coisa de mulher*.

Comecei a rir. Charlie me enviava um pensamento muito engraçado e eu transmiti sua mensagem:

– Charlie está me dizendo que não gostava dos banhos de tina.

– Não, mesmo. Toda sexta-feira à noite, eu lhe dava um banho e ele detestava. Posso perguntar uma coisa?

– Claro.

Susan começou a chorar, ao me perguntar:

– Charlie sofreu muito ao morrer? E, por favor... diga-lhe que sinto muito!

Eu perguntei:

– Charlie teve algum problema com as pernas? Ficou incapacitado de andar? Estou sentindo uma dor do meu lado direito.

– Só no final. Ele estava sob medicação.

– Você sabia que ele sofria de diabetes?

– Sabia. Ele está lhe contando isso?

– Está. Está me mostrando o que havia de errado com seu organismo. Mas também está me dizendo que a ama muito e que você o ajudou, colocando-o sob sedativos, não foi?

– Sim, mas não queria fazer isso.

– Seu cachorro estava sofrendo muita dor já no final. O que você fez foi um alívio para ele. Sabe disso, não é?

Susan não respondeu. Baixou o olhar por um instante e acabou assentindo com um movimento lento de cabeça.

– Charlie está me transmitindo que continua dormindo junto a você, no pé da cama. É isso mesmo?

– Sim, ele sempre vinha para a minha cama, no meio da noite.

– Você conhece alguém com o nome de Ivy?

Susan pensou por alguns instantes e, subitamente, lembrou:

– Já sei! Falei com ela, na semana passada. É quem está me ajudando a conseguir um outro cão. É muito difícil encontrar um cachorro para deficientes físicos, e ela disse que talvez tenha um para mim.

– Charlie está me enviando uma vibração... ou uma sensação... muito forte. Ele está dizendo que você conseguirá um novo cão e que não ficará sozinha por muito tempo. Charlie diz que vai ajudar o outro cão a aprender o que deve fazer. A propósito, ele está me mostrando um cachorro todo branco. Parece quase um *husky*.

Susan ficou muito excitada:

– É da raça que Ivy disse que pode arranjar para mim!

– Ele vai ser seu, não se preocupe. Charlie está me dizendo que você nunca ficará sozinha.

Com isso, agradecemos aos espíritos por sua assistência, e eu pedi que ajudassem Susan em seu caminho.

Como já havia dito, os animais sobrevivem à morte. Quando passam para o espiritual, aceitam essa transição como uma coisa muito natural. Certamente, teríamos muito a aprender com eles. Muitas vezes, as pessoas me perguntam: "Para onde foi meu cachorrinho?"

Nossos animais também vão para um reino celestial. É um lugar muito bonito, o mesmo dos seres humanos. Quando um animal vai para lá, é recebido pelas pessoas com quem conviveu no plano terreno. Se não há ninguém para recebê-lo, geralmente é acolhido por seres espirituais especializados em tomar conta de animais. Esses indivíduos são almas amorosas, generosas, que cuidam do animal, até que venha juntar-se a ele um membro da família com o qual tenha fortes laços amorosos. Naturalmente, esses indivíduos que tomam conta dos animais são espíritos que, no plano terreno, adoravam animais.

É muito comum que nossos animais recém-falecidos voltem à sua residência terrena. Geralmente, ficarão sentados na mesma cadeira, dormirão no mesmo lugar e tomarão conta de seus donos, como sempre fizeram. Eles se lembrarão para sempre do cuidado e do amor que receberam de você, no plano terreno. E muitas vezes voltam para protegê-lo.

Assim, por favor, nunca tire a vida de um animal, ou de qualquer outra forma de vida, sem motivo. Estamos todos aqui para compartilhar o mistério do plano divino gerado pelo amor de Deus para todas as suas criaturas.

Mal de Alzheimer

O mal de Alzheimer faz a vítima definhar lentamente, até morrer. Não é uma morte dignificante e às vezes chega a ser desumana. Ainda assim, milhares de pessoas contraem essa enfermidade, a cada ano. A doença de Alzheimer é uma degeneração das células nervosas do cérebro, que provoca perda progressiva da capacidade cerebral. A doença causa perda de memória, desorientação de tempo e de lugar. Nos estágios finais, a pessoa pode sofrer de uma grave psicose, incluindo-se no quadro surtos de paranóia e alucinações.

Apesar de a causa da doença ainda permanecer desconhecida, há muitas teorias a respeito. Alguns acreditam que seja uma doença genética, outros a atribuem a fatores ambientais, tais como resíduos metálicos. Mas uma coisa é certa – à medida que a população idosa cresce, crescerá igualmente a solicitação de assistência à família e à comunidade médica para casos desse tipo. Espero sinceramente que a enfermidade possa ser mais estudada e que se encontre solução para esta aflição tão devastadora.

As pessoas costumam me fazer diversas perguntas sobre amigos e parentes com doença de Alzheimer. "Ele pode me escutar? Pode me ver? Ainda está aqui? Está morto? A alma já deixou seu corpo? A alma pode partir, agora? O que vai acontecer?"

Certa vez, tive uma sessão com uma mulher encantadora chamada Sydelle. No começo da sessão, disse que seu pai morrera e que ela precisava resolver determinadas pendências. Particularmente, precisava saber se seu pai havia encontrado a paz.

Quando iniciamos a sessão, captei uma fortíssima sensação que me dizia que Sydelle estava nervosa, insegura, tanto em relação à consulta quanto sobre seu futuro. Havia dúvidas demais dançando em torno dela. Eu lhe disse que esperava poder ajudá-la a eliminar seus receios e as razões de sua ansiedade através de nossa comunicação com os espíritos. Sintonizei sua energia e, imediatamente, percebi certa hostilidade entre ela e sua mãe.

– Sydelle, você e sua mãe estão se falando?

– Sim, estamos.

– Estou recebendo a sensação de que vocês estão bastante afastadas.

– Acho que não sei ao que você está se referindo.

– Ela parece ser um fardo e você freqüentemente perde a paciência.

– Bem, isso é verdade. Tenho muita dificuldade de contar qualquer coisa a ela.

Algo mudou a atmosfera da sessão. Senti como se uma porta se abrisse bem atrás de mim e, subitamente, muitas pessoas entraram.

– Repentinamente, senti esta sala repleta de gente. Espere, deixe-me tentar saber de quem se trata...

Fechei os olhos e vi um homem elegante. Ele estava de pé, ereto, muito sério, e me transmitiu a sensação de desorientação mental.

– Sydelle! Acho que é o seu pai. E acho que houve algo errado com sua cabeça... Sim, ele me transmite a impressão de que a área da cabeça foi afetada, antes de sua morte. Também recebo a sensação de que ele está em um hospital... ou convalescendo em casa. Ele ficou de cama por muito tempo?

– Ficou! Meu pai sofreu do mal de Alzheimer por treze anos.

– Meu Deus! É por isso que sinto tanta perturbação. Ele não consegue acreditar no que está acontecendo. É como se ainda não soubesse lidar com a situação espiritual, como se tivesse até agora dificuldade de se adaptar. Isso faz algum sentido?

– Bem, acho que ele não acreditava nessas coisas...

– Talvez, não. Mas... Seu pai lhe agradece por ter acendido a vela. Sabe do que ele está falando?

– Sim. Vez por outra, enquanto ele ainda estava doente, acendia uma vela para ajudá-lo a atravessar para o outro lado.

– Ele agradece por isso e também por suas orações. Elas o ajudaram muito. Ele diz que ainda se sente confuso, mas aos poucos vai recuperando a noção das coisas. A cerimônia fúnebre dele ocorreu num templo?

– Isso mesmo.

– Ele estava presente. Diz que viu todos vocês. Mas que ficou um tanto surpreso com o número de pessoas que compareceram. Esperava que fosse o dobro.

– Ele tinha muitos amigos, mas ficou tanto tempo afastado deles... Não sobrou muita gente para despedir-se do meu pai.

– Quem é Jack?

– É meu pai.

– Ele está mencionando um cobertor africano e algo sobre fotos.

Ele viu todas as fotos. Você arrumou algumas fotos de seu pai, para a cerimônia? Fotos importantes dele em vida?

– Isso mesmo. No funeral, arranjei um desses cobertores africanos e coloquei as fotos sobre ele. Queria que fosse uma colagem com momentos da vida do meu pai.

– Quem é Rose?

– A mãe dele.

– Ele quer que você saiba que Rose veio recebê-lo, quando passou para o outro lado. Ele não a via há muito tempo, certo?

– Ela morreu quando eu ainda era uma criança.

– Ela é engraçada. Você sabe que ela fica lhe observando, na cozinha? E adora o estilo das roupas que você usa. Ela está me mostrando vestidos estampados de flores.

Sydelle riu alto e agradeceu-me por trazer-lhe sua avó.

– Nunca a conheci, mas fico contente que esteja por perto, me protegendo.

Jack recomeçou a falar:

– Seu pai está mencionando o nome Mark. Está dizendo que essa pessoa o ajudou muito.

– Mark é o meu irmão. Interessante... Mark tomou conta do negócio da família, depois que meu pai morreu.

– Sabe se Mark usa abotoaduras ou prendedores de gravata?

– Sim, ele costuma usar as abotoaduras do meu pai.

– Sabe se ele tem no escritório molduras com condecorações e prêmios, penduradas na parede?

– Isso mesmo. É o escritório do meu pai e continua exatamente do jeito como ele o deixou.

– Seu pai está me mostrando uma poltrona verde-escura. É nela que o seu irmão se senta, agora. Por favor, pergunte a ele se há um pedaço puído ou um rasgado no assento. Acho que é do lado direito, bem debaixo de sua perna, quando ele senta.

– De fato, Mark mencionou que havia comprado uma cadeira nova porque a antiga estava muito gasta.

É raro algum cliente pedir conselhos sobre negócios a alguém do outro lado. Sempre advirto que o mundo espiritual não tem necessariamente conhecimento do futuro. Como já afirmei, há muitos problemas envolvidos nisso, inclusive leis cármicas a serem respeitadas. Podem perguntar o que quiserem aos espíritos, mas saibam que terão que tomar suas próprias decisões. Não é responsabilidade dos espíritos dizer-lhes como administrar sua vida ou seus negócios.

Foi exatamente o que transmiti a Sydelle, e ela replicou que queria escutar a opinião do pai, já que o negócio da família era dirigido por ele.

– Tenho certeza de que ele vai me dar excelentes conselhos sobre a empresa.

– Estou recebendo algo... Sabe se seu irmão está considerando a possibilidade de admitir um sócio?

– Talvez, não tenho certeza. Vou perguntar a ele.

– Certo... Ele está me dizendo que sabe das dificuldades para fazer a empresa prosperar. Parece mesmo muito duro, e vocês vão precisar ter um pouco de paciência, porque as coisas vão mudar e, eventualmente, irão vender essa empresa.

Sydelle engasgou. Disse que não tinha e nunca teve a menor intenção de vender a empresa. Fosse como fosse, ela e o irmão planejavam manter o negócio na família.

– Seu pai está dizendo que se preocupa muito com a empresa, que ocupou grande parte da sua vida. Ele não quer que aconteça a mesma coisa com vocês. Ele acha que perdeu muita coisa da vida por não ter se dado tempo para aproveitá-la. Ele era uma pessoa rígida e dedicava-se demais ao trabalho, para provar que era capaz. Ele diz que poderia ter aprendido muito com você, que lhe tem ensinado inúmeras coisas, ultimamente.

Sydelle e seu pai ficaram bastante emocionados. Então, ele começou a falar sobre a esposa:

– Ele está preocupado com sua mãe. Diz que discutia muito com ela. Parte dele ainda a ama, e agora ele pode compreendê-la. Ela está insatisfeita consigo mesma. Espera sempre que o mundo faça coisas por ela. Mas você precisa viver sua própria vida... Faça com que ela entenda isso.

– Vou tentar...

Perguntei a Sydelle se tinha mais perguntas a fazer ao seu pai. E o que ela perguntou mudou a maneira como via as pessoas que sofrem do mal de Alzheimer.

– Por onde andou meu pai, quando ainda estava doente? Quero dizer... Onde estava seu espírito?

– Seu pai acha a pergunta muito interessante e diz que vai tentar responder da melhor maneira que puder. Há uma enorme diferença entre o mundo terreno e o mundo espiritual. Ele conta que a maior parte do tempo esteve inconsciente, como se estivesse em um sono, muito leve. Ele diz que houve momentos em que esteve fora do seu corpo e que algo que ele acredita que fosse o seu espírito observava seu corpo deitado na cama e também as pessoas no quarto. A maior dificuldade foi ter perdido a noção do tempo. Ele passou a ter uma consciência de tempo e de espaço diferente de quando vivia no plano terreno.

– Ele viu outras formas espirituais ao seu redor?

– Mais ou menos. Ele sentia outras energias em torno de si, mas, até falecer, não sabia do que se tratava. Ele diz que Rose e uma figura paternal vieram ao seu encontro.

Informei a Sydelle que muitos outros espíritos que haviam sofrido do mal de Alzheimer já me haviam relatado coisas semelhantes. Muitos não conseguiam distinguir onde se encontravam. Alguns estavam despertos, o tempo todo. Outros saíam freqüentemente de seus corpos, ainda muito ligados a suas famílias, a quem tentavam transmitir mensagens.

Sydelle queria saber mais:

– Por que ele teve que passar por esse sofrimento?

– Ele acha que você pode não entender direito o que vai dizer, mas, por incrível que pareça, ele escolheu esse caminho, ao vir para a Terra. Está me contando que precisou passar por essa experiência para equilibrar certas coisas...

Expus minha maneira de entender a questão: muitas vezes um espírito precisa enfrentar uma doença e sofrer com ela, para se fortalecer, para quebrar o elo entre a doença e sua linhagem familiar.

Depois dessa sessão, que ocorreu há muitos anos, Sydelle e eu nos tornamos bons amigos. Recentemente, ela me disse:

– Não sei se você vai se lembrar disso, mas, na primeira sessão, perguntei ao meu pai alguma coisa sobre a empresa. Ele disse que encontraríamos um sócio e que acabaríamos vendendo o negócio. Meu irmão achou esse sócio, há alguns meses, e agora está assinando os papéis para lhe passar o negócio.

Do alto da montanha

A sessão que vou descrever agora tornou-se uma das mais famosas da minha carreira. Um ano depois de ter acontecido, correram notícias a respeito de alguns de seus detalhes, considerados quase inacreditáveis, e uma rede de tevê, a NBC, em um programa chamado *Unsolved mysteries*, tentou reproduzi-la. Passaram alguns meses procurando alguém parecido comigo e, tempos depois, o programa foi gravado. Aquele episódio viria a se tornar um dos mais populares do programa e é constantemente reprisado nos canais a cabo. Foi de fato uma das minhas sessões mais memoráveis.

Estávamos em junho de 1995 e eu me encontrava sentado do lado de fora do prédio onde fica meu apartamento, aguardando um cliente. Havia checado minha agenda, mas não reconheci o nome marcado para as seis horas – Don e Sue Raskin. Cinco minutos antes das seis, um casal veio andando na direção do edifício. Lembro muito bem da minha reação, quando os vi. O homem parecia muito adoentado e achei que a jovem senhora que o acompanhava era sua filha – na verdade, era sua mulher.

Assim que proferi minha oração, me dei conta de que havia muitos espíritos ao meu redor. Eu captava a presença de muitas mulheres, mas também a energia forte de alguns homens. Comecei a relatar minhas sensações e observações, esperando que os espíritos presentes fossem das pessoas com quem o casal queria estabelecer contato.

– Don, quando você entrou por aquela porta, havia um jovem atrás de você. Parece que ele era muito jovem, quando faleceu. Você tem um filho, hoje, no mundo espiritual?

Eles trocaram olhares espantados e, muito lentamente, ele me respondeu:

– Sim – murmurou, confirmando o que eu havia dito.

– Ele diz que o ama imensamente e que você não tem o que temer. Ele o ama muito, muito mesmo. Ele repete isso insistentemente. A inicial *A* significa algo para você? Conhece alguém chamado Adam?

– Acho que não – respondeu Sue.

Voltei-me para Don e lhe comuniquei:

– Seu filho diz que a sua mãe e o seu pai estão junto com ele, aqui, esta noite. Vieram de mãos dadas com o seu garoto. Você conhece alguém com o nome começando por *M?*

– Sim, o meu pai. Seu nome era Mike – replicou Don.

– Temos também aqui uma moça chamada Lillie, ou Millie... ou Ellie.

Ele pulou da cadeira:

– É a minha irmã! Ela também está morta.

– Eles costumavam chamá-la de "Babs"?

– Sim... e de muito outros apelidos.

– Sua irmã é muito engraçada. Ela e o seu pai ficam mexendo um com o outro. Eles se dão muito bem. Mas é o seu filho que deseja falar. Ele afirma que é o convidado de honra desta noite. Ele se chama... Doug. E morreu em um hospital, não foi?

– Exatamente.

– Ele diz que se sentia muito mal. Foi algo que aconteceu de surpresa? Ele diz que as pessoas ficaram tremendamente chocadas, que ninguém esperava. Parece que aconteceu alguma espécie de acidente. Ele foi ferido na cabeça?

– Isso mesmo.

Os Raskins se deram as mãos, firmemente.

– Ele está me transmitindo uma dor na cabeça. Acho que seu pescoço também foi afetado. Ele teria sido transportado por um helicóptero? Ele está falando alguma coisa sobre um vôo de helicóptero.

– Exato, ele foi levado de helicóptero para o hospital.

– Ele está me passando a sensação de escalar... uma escalada... Está me mostrando uma montanha. Agora, sinto como se estivesse escorregando, como se estivesse caindo. Vocês entendem?

Começaram ambos a chorar, confirmando a informação. Prossegui:

– Ele diz que sempre soube que algo assim aconteceria com ele. Diz que sempre viveu no limite, forçando os limites... Não havia nada que vocês pudessem ter feito para evitar. Parem de se sentir culpados, porque não seriam capazes de detê-lo. Alguma vez ele falou qualquer coisa sobre saltos de pára-quedas? Ele diz que, se não tivesse morrido escalando uma montanha, teria sido num salto de pára-quedas.

– Ele era do tipo aventureiro – falou Don. – Sempre metido em alguma coisa.

– Ele gostava de fotografia? Está me dizendo que tirou fotos do mundo inteiro. Ele sabe que vocês andaram olhando em seus álbuns. Ele diz que vocês não conseguirão encontrar nenhuma foto que se assemelhe ao lugar onde está agora. As cores do céu... É tão cheio de cores... Inacreditável! Luzes em tons de rosa, violeta... "Não se preocupem comigo", ele diz. "Estou vivendo uma grande aventura, por aqui!" Quem é Tam... ou Tammy?

– É a irmã dele.

– Ele pede que lhe digam que a ama e que lhe agradece pelas orações, pelos bons pensamentos, pelos votos de bem-estar... e por seu amor. Está muito agradecido, de verdade!

– Diremos a ela, com toda certeza.

– Seu filho está mencionando alguém chamado Mark. Ele conhecia alguém com esse nome?

– Ah, claro... eram bons amigos.

– Ele está mandando um abraço para Mark. E pede que lhe diga que estará sempre por perto e que continuarão sendo bons amigos para sempre.

Don não me parecia nada bem. Percebi que sua dor havia lhe tirado o ânimo de viver. Ele parecia uma concha vazia. Transmiti-lhe a preocupação do filho com sua saúde.

– Seu filho está dizendo que você deve se cuidar, para não ter uma úlcera. E que está tendo problemas para dormir. Você foi ver um médico, por causa disso?

– Isso mesmo, na semana passada. Ele me receitou algumas pílulas para dormir.

– Ele quer que eu diga que vocês dois o ajudaram a viver esta vida plenamente. Sempre o apoiaram, sempre acreditaram nele. Vocês foram os melhores pais do mundo, é o que ele diz. Havia uma foto dele na cerimônia fúnebre?

– Sim...

– Ele está me mostrando uma moldura, muitas fotos dele, e no centro uma, maior do que todas as outras. Ele diz que vocês tiveram muita dificuldade para escolher essa foto maior.

Sue e Don começaram a rir. Sue contou que realmente precisaram procurar bastante.

– Doug está me contando que foram vocês que escolheram a música para a cerimônia. Ele está me dizendo que parecia algo irlandês, ou escocês... algo chamado *Enya.*

– *Enya...* foi essa mesma que tocamos – confirmou Sue.

– Don, você pratica algum esporte? Doug está me mostrando um cavalo. Por que vocês não tiram uns dias para passear a cavalo, juntos?

– É o que estou indo fazer, com um amigo meu. E estou usando uma camisa que Doug me deu.

– Ele diz: "Aproveite-a bem, papai. E aproveite a vida, por mim. Faça isso, aproveite a vida!"

Nessa altura, uma questão muito intrigante veio à tona e, até hoje, me fascina lembrar o que Doug disse a respeito.

– Vocês reproduziram uma foto dele, recentemente? Doug está

rindo muito por causa dessa foto, como se houvesse alguma piada secreta relacionada a ela.

– A foto foi tirada originalmente durante uma viagem com Doug. Só que nossa filha distinguiu na foto uma espécie de brilho luminoso que não estava lá antes. Parecia algo com o formato de um coração, feito de fumaça. Então, mandou ampliar a foto e distinguimos, escrito no interior do coração: *Eu amo vocês.*

Ele está dizendo: "Fui eu que fiz aquilo aparecer." Ele está rindo muito... "Vocês entenderam? Fui eu! Foi um presente meu para vocês. Considerem como se fosse um cartão-postal daqui do Paraíso."

Essa parte da mensagem demonstrou mais uma vez o poder do amor transcendendo o plano físico. O restante da sessão nos trouxe a mãe de Don, seu pai e sua tia Bea. Cada um deles descreveu detalhadamente o que se lembravam de Don, quando criança. Então, Doug retornou e ficou conversando conosco até o fim da sessão. Cada informação sua era mais uma impressionante prova da vida após a morte.

Perguntei a Sue:

– Você esteve recortando artigos de jornal, com uma tesoura, recentemente?

– Sim.

– Todos os que estão presentes aqui estavam à sua volta, observando-a. Quando foi isso?

– Na semana passada. Havia um grande artigo no jornal sobre Doug e sobre sua morte. Mas não era apenas um obituário, era sobre o monte Fuji.

– Vocês estão fazendo uma espécie de livro de recordações? Doug diz que já têm tudo o que precisam, falta apenas juntar as partes. Ele sabe que vocês deixaram tudo guardado.

Eles sorriram, e eu continuei.

– Kieto. O que significa isso?

– Fica no Japão. É perto de onde aconteceu o acidente. Estávamos com ele em Kieto.

– Ele está dizendo que adora a foto que tiraram dele ao pé do monte Fuji. Vocês têm essa foto?

– Talvez... Há fotos que foram tiradas pela equipe de alpinismo e que ainda não foram reveladas.

– Por favor... Tentem gravar esta informação na memória.

– Claro.

Nosso encontro durou ainda meia hora. Os Raskins deixaram minha casa sentindo-se totalmente diferentes de quando haviam chegado. A expressão no rosto de Don indicava que ele entrara no caminho da recuperação. Agora, o casal sabia não apenas que seu filho continuava vivo, mas que permanecia junto deles, o tempo todo.

Mais tarde, descobri que Doug Raskin não era um filho comum. Parecia um anjo vindo do céu. Passou muitos anos viajando pelo exterior, prestando auxílio aos mais pobres. Chegou a atravessar a nado trechos revoltos de rios, com alimentos amarrados às suas costas, para poder entregá-los aos necessitados. Era aventureiro e generoso e todos os que conviveram com ele foram tocados por sua luz.

Dois meses depois dessa sessão, o telefone tocou. Era Sue Raskin me dizendo que acabara de receber pelo correio as fotografias que a equipe de alpinismo de Doug enviara.

– A primeira foto que eu puxei do envelope era justamente do nosso Doug, com um sorriso de orelha a orelha. Ele estava bem no sopé do monte Fuji.

Parte 3

O Próximo Passo

CAPÍTULO 9

Para Além do Sofrimento

Há um tempo para tudo,
uma estação propícia a cada ato, debaixo do Sol,
um tempo para nascer, outro para morrer.
– Eclesiastes 3:1

Somos capazes de superar a perda de um ente querido? É possível recomeçar a vida sem a pessoa com quem costumávamos compartilhá-la? Será que as lembranças dos tempos felizes conseguem nos devolver o gosto pela vida?

Não há respostas fáceis para essas perguntas. Quando alguém deixa o mundo terreno e passa para o espiritual, isso significa que nunca mais teremos um contato físico com essa pessoa. Mas sempre poderemos sentir sua presença e mesmo compartilhar nossas existências com elas, através da lembrança viva em nossos corações e em nossas mentes, e nos dando conta de que, como seres espirituais, livres dos limites da condição física, estão mais próximas de nós do que nunca.

Como a citação da Bíblia diz, há um lugar e um tempo naturais para cada experiência terrena. A cada vez que retornamos ao mundo físico, usufruímos de um crescimento espiritual. Toda ocorrência em nossa vida determina e mede esse crescimento. Assim como o ciclo das estações, em que algo morre no inverno e renasce na primavera, é impossível termos a vida sem um fim e um recomeço. Tudo o que fazemos tem a ver com esse crescimento.

Toda criatura terrena experimenta algum tipo de perda. Pode ser a perda de um emprego, um divórcio, um acidente, ou um crime. Pode ser um objetivo nunca alcançado ou simplesmente o fato de envelhecer. Podemos considerar como perdas as mudanças de vida, sempre estressantes, mas compreendemos que também esse tipo de experiência tem sua função em nossa existência. Há alguns passos que podemos dar para transformar nosso sentimento de perda em uma experiência benéfica, algo que contribua para maior plenitude em nossas vidas. O primeiro desses passos é reconhecer e lidar com o sofrimento.

COMO RECONHECER O SOFRIMENTO

O sofrimento manifesta-se de diversas maneiras – física, mental, emocionalmente. Desamparo, ansiedade, insônia, medo, irritabilidade, rancor, depressão, náusea, falta de ar, palpitações; mesmo os pensamentos suicidas podem ser considerados como sintomas ou sinais de grande sofrimento. É importante dar-se conta de que chorar a perda de alguém (ou de alguma coisa, como no caso de um emprego) é absolutamente normal. Quando sofremos por uma perda, temos a sensação de que nossa vida terminou, de que nada será como antes. Sentimos que não conseguiremos suportar sequer mais um dia sem a pessoa que perdemos. É como se o mundo tivesse sido virado pelo avesso. Nada mais parece se encaixar, nem fazer sentido. Em todas as áreas de nossa vida instala-se um total desequilíbrio. Não conseguimos pensar, nem tomar decisões. Freqüentemente, chegamos à conclusão de que não somos mais capazes de controlar nossas emoções – choramos por qualquer coisa, trememos ante o menor desafio. Todos esses sentimentos e sensações fazem parte da experiência do sofrimento. Não podem ser subestimados ou considerados errados.

Pessoas nesse estado são acometidas de certa apatia no que diz respeito ao seu aspecto físico, emocional e espiritual. Mas é importante para essas pessoas enfrentarem o sofrimento com o objetivo de retomarem aos poucos suas vidas.

Como fazemos isso? Como conseguimos nos recuperar? Embora

o foco deste livro esteja na perda de entes queridos, os estágios descritos à frente podem ser aplicados a qualquer tipo de perda – uma pessoa, um bicho de estimação, um lar, um emprego – ou mesmo a uma convivência longa com algum tipo de enfermidade. O processo de cura, igualmente, aplica-se à maioria das situações de perda.

1. O choque

Quando uma pessoa é notificada da morte de alguém querido, sua primeira reação pode ser entrar numa espécie de estado de choque, algo como uma vertigem, uma fixação no pensamento: "Isso não pode ter acontecido." É como se fosse tomado por um transe, assemelha-se a um zumbi, vagando sem muito se dar conta de onde está. Mais tarde, pode até não recordar esses primeiros dias. Esse esquecimento é uma espécie de ajuda da natureza, nos permitindo fechar, inconscientemente, nossas mentes, até podermos começar a lidar com a súbita mudança em nossas vidas.

Esse choque inicial pode durar algumas horas, ou alguns dias, e, uma vez percorrido, é importante ter um amigo próximo ou alguém querido para nos dar apoio. Geralmente, a família e os amigos estão ao nosso lado no funeral, mas, uma vez terminada a cerimônia, vão embora. É justamente quando passa o choque que mais precisamos de amparo. É quando começa a dor de verdade.

Ao sofrer a dor, precisamos lembrar que sentir raiva, sentir-se ferido, é uma reação muito natural. Você irá superar essa fase. A vida retornará ao normal.

2. Negação

Quando nos sentimos feridos, nossa tendência é negar. Fazendo isso, parece mais fácil lidar com a dor. Queremos tanto que a dor não exista, que a negamos, tentando nos enganar, nos convencer daquilo em que queremos acreditar. Mais uma vez, é nossa mente inconsciente tentando lidar com a dor da perda. A negação pode se manifestar de várias maneiras:

1. Perdemos interesse por nossas ocupações diárias, ou nos afastamos delas.
2. Dormimos demais ou sofremos de insônia.
3. Perdemos o apetite.
4. Deixamos de cuidar de nossa higiene diária.
5. Ficamos presos a uma profunda depressão.

Ainda aqui é importante perceber que a negação é uma etapa normal do processo de dor e que, eventualmente, nos tornaremos capazes de superá-la.

3. Sinta a perda

O primeiro passo para a cura é aceitar a realidade da nova situação – sim, você sofreu uma perda. A perda é real, e reconhecê-la é muito importante. Você deve senti-la. Sinta-a, com intensidade. Não reprima sua raiva, sua tristeza, sua perturbação, seu desamparo. Esses sentimentos são absolutamente naturais. Não esconda nem disfarce seus sentimentos, pensando que pode estar se portando de maneira imatura, ou que *esse comportamento é inaceitável.* Chore! Chorar é uma reação natural e necessária para a cura do corpo. Há provas científicas de que as lágrimas de tristeza são bioquimicamente diferentes das lágrimas provocadas pelo riso e pela felicidade. Assim, chorar ajudará você a liberar substâncias químicas do seu organismo.

É natural que você passe muito tempo pensando na pessoa que perdeu e, fazendo isso, pode sentir raiva. Se isso acontecer, deixe sua raiva extravasar, sem ferir nem a si nem aos outros. Canalize-a para uma atividade física, algum esporte, ou soque um travesseiro, ou vá para um lugar afastado, onde possa gritar à vontade. É compreensível que você sinta dor, que sofra; liberar sua raiva só irá fazer bem à sua saúde.

Não tente determinar o que deveria estar sentindo. Cada um de nós é um indivíduo único que reage de maneira diferente a cada situação, sobretudo num caso de perda. Não queira julgar-se pelo modo como os outros manifestam seus sentimentos. Não há certo nem errado que se aplique a você.

É também muito comum que queiramos escapar logo da dor e, assim, apelamos para os tranqüilizantes. Algumas vezes são de fato necessários, por um período curto, para nos dar alívio. No entanto, as drogas, a longo prazo, ocultam o progresso que obtemos, e os sentimentos que estamos tentando abafar retornam de um jeito ou de outro.

Ao longo desses anos, encontrei centenas de pessoas que ainda não conseguiram lidar com seu sentimento de perda. Seus corpos mostram isso – o exterior é um espelho do interior. Reprimiram tanto seus sentimentos que ficaram doentes. A dor reprimida devora-as por dentro e se manifesta através de uma série de problemas de saúde e enfermidades, incluindo obesidade, alergias, dores e incômodos variados, problemas com a respiração e, em alguns casos, câncer.

Portanto, para nos mantermos saudáveis, precisamos vivenciar plenamente nossos sentimentos. Eles são o termômetro de nossas vidas.

4. Reconhecimento e aceitação

Depois de viver o choque, a negação, a dor e o sofrimento, avançamos para o estágio de reconhecimento e de aceitação da perda de nosso ente querido. Esse é o primeiro passo para voltar a encontrar o equilíbrio. Aceitar a morte do ser amado não significa que concordamos com ela; estamos apenas encarando a realidade. Compreendemos que a pessoa se foi, que não teremos mais contato físico com ela. No entanto, nós a reencontraremos quando chegar a hora de nos transpormos para o mundo espiritual.

Uma perda é sempre irreparável. A dor é proporcional à intensidade dos sentimentos em relação à pessoa falecida. Mas é importante darse conta de que experimentar a dor a fundo já é uma forma de cura. Você pode – e conseguirá – recuperar suas forças e voltar à vida, continuando assim seu processo de aprendizado.

5. Estabelecer objetivos práticos

Além de lidar emocionalmente com a perda, é também importante restabelecer a ordem no seu dia-a-dia, do ponto de vista financeiro e prático. Isso vale especialmente no caso de a pessoa falecida ter se encarregado sempre dos assuntos referentes a dinheiro, dentro da relação. Não tenha medo de pedir ajuda. Algum membro da família, ou mesmo um amigo, pode lhe oferecer bons conselhos em uma hora como essa e talvez seja capaz de ajudar enormemente – mais até do que você imagine.

Se há pendências sobre contas médicas e seguro, peça a esses parentes ou amigos para tomar conta dessas coisas, deixando assim sua cabeça livre de problemas financeiros. Quanto mais cedo esse tipo de coisas estiver resolvida, melhor para todos. Talvez você queira avaliar sua situação financeira, ordenar listas de providências, passar em revista os bens de que dispõe, contas bancárias, ações, e assim por diante. Na maioria dos casos, precisará informar aos credores sobre o falecimento, para que possam ajustar seus registros.

Você precisará tomar conta de todos os aspectos legais concernentes a você e ao falecido. Para acertar cada um desses assuntos, você precisará dispor de várias cópias do atestado de óbito. Talvez deva contratar um advogado, se há uma herança ou propriedades a serem divididas.

6. Seguindo em frente

O sol se põe, e a cada dia nasce outra vez. Você atravessou um período de muita tensão emocional que às vezes parecia insuportável, e você decidia não ir mais fundo. No entanto, chegou a hora de retomar sua vida, de seguir em frente. Um novo capítulo da sua existência irá começar.

Este é o melhor momento para pedir ajuda a um grupo de apoio. Procure, com seu médico ou terapeuta, grupos destinados a pessoas que sofreram um tipo específico de perda – por exemplo, a perda de uma esposa, de um filho, de um irmão, a perda de alguém vítima de AIDS, câncer, etc. Em um grupo de apoio, todas as pessoas sofreram perdas semelhantes e, assim como você, isso ainda lhes dói. Todos precisam de ajuda para prosseguir em suas vidas. Sugiro que visite um desses grupos e observe como funciona. Verifique se você se sentiria bem como participante, se simpatiza com os demais membros. Talvez você queira que um amigo ou um parente o acompanhe, na primeira vez. Acima de tudo, não tenha o menor receio de pedir ajuda.

E talvez seja um bom momento também para você desenvolver alguma atividade física regular. Entre para uma academia de ginástica, pratique natação, tênis, caminhe diariamente. É importante exercitar-se fisicamente – isso ajudará a manter sua mente aguçada, seu corpo afinado e suas emoções equilibradas. Atividade física contribui para liberar a raiva, eliminar a depressão e espalhar hormônios benéficos por todo o seu corpo.

Como afirmei anteriormente, dor e cura não sucedem uma à outra do dia para a noite, e não há maneira de determinar o tempo necessário que uma pessoa leva para se curar e refazer a vida. Seus entes queridos estarão sempre próximos, mesmo que você não esteja consciente de sua presença. Usufrua das lembranças que guarda deles. Elas fazem parte de um patrimônio emocional e serão fonte permanente de alegria se você acolhê-las com carinho.

CUIDADO COM COMPORTAMENTOS NEGATIVOS

É importante que você se conscientize de que há idas e vindas em todo processo, sensações e sentimentos negativos que retornam, mudanças bruscas de estado emocional. Por exemplo, há pessoas que voltam a negar a morte de seu ente querido. Por não serem capazes de superar essa negação, nem a dor, podem adotar comportamentos autodestrutivos. Esteja alerta para sinais como os descritos a seguir. Se persistirem por um tempo relativamente longo, recorra a ajuda profissional.

1. A pessoa pode começar a acalentar pensamentos suicidas.

De início isso é muito comum, mas, se o desejo acentuar-se, alerta geral! Recorra imediatamente a um psicólogo ou a um psiquiatra.

2. Uma pessoa no momento agudo do sofrimento pode necessitar tomar alguma medicação, tal como tranqüilizantes e antidepressivos. Mas como há o risco de a pessoa tornar-se dependente dessa medicação, é importante ter acompanhamento médico para impedir que o hábito se estabeleça. Quanto mais rápido a pessoa largar a medicação, mais cedo será capaz de aceitar a perda sofrida e de iniciar sua recuperação.

3. Se uma pessoa se mantém afastada de suas atividades normais e assume posturas obsessivas, ou permanece em depressão por um período muito longo, é hora de procurar um profissional que possa ajudá-la a lidar com seu sofrimento. Um profissional a auxiliará a encarar outra vez a realidade de frente.

O luto, a perda são sempre dolorosos. Mas é parte da experiência de vida pela qual todos passamos, inevitavelmente. Todos sofreremos a perda de alguém querido. Devemos ter certeza de que somos capazes de superar o sofrimento e sobreviver a isso.

Mesmo que não seja claro, agora, sua luz nesse mundo é sempre necessária. Não há ninguém igual a você na Terra. As pessoas precisam de você. No momento de uma perda, você é capaz de sentir certa culpa, ou um sentimento de inutilidade. Pode até ficar obcecado com a idéia do que deveria ter feito para evitar a morte do ser querido. Mas essa auto-acusação não ajuda em nada. Não alimente esse tipo de coisa! A dor que você está sentindo pode ajudá-lo a tornar-se mais sensível em relação aos outros. Algum dia, talvez, você apoiará alguém que esteja passando por isso. Por maior que seja a sua dor, você é maior do que ela. Trate-se bem, acolha-se, console-se. Diga o quanto se ama e o quanto gosta de viver, de ter a força e a coragem para retomar essa imensa aventura que é a vida.

CAPÍTULO 10

Fazendo Contato

Sou muito procurado por pessoas que desejam fazer contato por conta própria com seus mortos queridos. Há outros que também possuem fortes poderes mediúnicos e psíquicos e que querem saber o que fazer para desenvolvê-los. Neste capítulo, dou algumas orientações para esses dois tipos de pessoas. Não seria correto dirigir-me aos que querem fazer contato com seus entes queridos já falecidos, sem previamente fornecer alguma compreensão básica de como funciona a mediunidade. Acredito que, quanto mais conhecimento você tiver sobre esse assunto, mais chances terá de obter bons resultados. É muito importante que você leia aqui a respeito desses conceitos e que os aplique quando for necessário.

Não se trata de um jogo, nem de uma brincadeira. Não tenho a intenção de ensinar alguns truques para você divertir os amigos com suas habilidades psíquicas. O desenvolvimento da sua intuição deve ser levado muito a sério e ser conduzido respeitosamente. Não se trata de tocar uma campainha e esperar que um espírito apareça imediatamente. Para ter êxito, é preciso trabalhar um bocado. Lembre-se de que o resultado refletirá a disciplina, tempo e força de vontade que você empregou para desenvolver suas habilidades. Sua família espiritual também compartilha o desejo de entrar em contato e fará qualquer coisa para você constatar que continuam vivos. Os espíritos estão sempre à nossa volta e, apesar de alguns serem capazes de se comunicar sem muito esforço de nossa parte, outros podem encontrar muitas dificuldades. Cada um ao seu modo, somos todos médiuns. Como já aprendemos, um médium é um instrumento, uma ligação que o espírito utiliza para transmitir uma mensagem em particular. Por isso, a mediunidade consiste em ser inspirado por pensamentos, palavras e sensações diferentes dos nossos. Artistas, músicos, pesquisadores, executivos – e praticamente toda criatura vivente – recebem inspiração de uma maneira ou de outra. Muitas vezes, chegamos a pensar que esses pensamentos são nossos, mas na maioria dos casos emanam de forças espirituais. Através desses pensamentos, a melhor parte de nossa criatividade vem à tona. A criatividade não se aplica apenas às artes. Um cirurgião é tão criativo em seu ofício científico quanto uma bailarina.

Quando quisermos fazer contato com o reino espiritual, é importante sabermos que o mundo dos espíritos, ou a criativa sensação da presença de Deus, não está fora de nosso alcance, além das nuvens. Na verdade, esse espírito criativo encontra-se em cima, embaixo, ao nosso redor e dentro de nós. Este mundo físico é apenas uma dimensão entre muitas, nosso sistema solar é apenas um entre muitos, e o ser conhecido como humano é apenas uma espécie entre muitas. Portanto, nossa primeira lição é abrir totalmente nossa mente e iniciar esse trabalho com humildade e amor. Quando nos abrimos para o reino espiritual, precisamos de todo o conhecimento disponível. Quanto mais soubermos a respeito das técnicas e das leis naturais do espírito, mais efetiva poderá se tornar nossa mediunidade, e mais precisos e nítidos serão os resultados.

Quando iniciei minha jornada, li mais de uma centena de livros, originários de várias partes do mundo. Alguns haviam sido publicados cinqüenta anos antes, outros eram bastante recentes. Conversei com muitos psíquicos, médiuns, professores voltados para o desenvolvimento espiritual. Visitei centros religiosos consagrados à área em que estava interessado. Meu objetivo era dominar esse tipo de trabalho, de forma a poder ajudar a humanidade e difundir o amor e o conhecimento sobre a vida após a morte. Se você quer apenas entrar em contato com seus entes queridos ou com seus guias, sua motivação será bem diferente da minha. Você não precisará percorrer um caminho tão extenso quanto o meu. Mas lembre-se de que quanto mais você conhecer a respeito da matéria, maior será sua capacidade de compreensão e sua possibilidade de obter resultados.

A disciplina desempenha um papel complexo no desenvolvimento dos dons espirituais, ou da comunicação com os espíritos. Embora você deseje alcançar sua família espiritual, isso não significa que basta apagar as lâmpadas para que ela apareça magicamente. Você precisa assumir este trabalho com seriedade e com disciplina. Qualquer displicência aqui pode ser perigosa e, no mínimo, deixá-lo insatisfeito. Repetindo, se você pretende fazer contato ou abrir-se para o mundo espiritual, deve fazê-lo não por curiosidade ou por divertimento, mas com reverência, humildade e disciplina, além de muito respeito. Seu envolvimento espiritual não é um truque barato, ou uma brincadeira. Portanto, aventure-se, mas ciente das leis espirituais e físicas que regem essa atividade. Para começar, vamos examinar as leis espirituais e físicas básicas e como se aplicam ao seu desenvolvimento.

MOTIVAÇÃO E DESEJO

Qual é a razão que está por trás de seu interesse em desenvolver suas habilidades interiores e em contatar seus entes queridos? É algo frívolo, do tipo perguntar a eles os números que serão sorteados na loteria? É descobrir o que determinado parente lhe deixará em testamento, para que você já possa ir gastando por conta? Ou é descobrir o nome da pessoa que matou seu filho? Ou alguma curiosidade inútil? Se o seu interesse enquadra-se em alguma dessas categorias, não prossiga. Você não pode buscar o contato por vingança ou ambição. Não há lugar para auto-indulgência no mundo espiritual: tudo ali é trabalho em torno do amor incondicional. O amor é o elemento mais poderoso para nos aproximar do espírito. Se você quer fazer contato e explorar os domínios espirituais para desenvolver-se espiritualmente e iluminar aos demais, então – e só então! – concordarei com suas motivações.

PREPARAÇÃO

Toda vez que desempenhamos o trabalho psíquico, devemos nos preparar convenientemente de maneira a nos tornarmos canal propício para o espírito. A preparação se dá em diversos planos: físico, emocional, mental e espiritual.

Em relação ao aspecto físico, é importante uma dieta sadia. A dieta vegetariana, com pouco açúcar refinado e cafeína, deixa o corpo mais apto para receber o espírito. A carne vermelha, em especial, torna as vibrações do corpo mais lentas e, conseqüentemente, diminui os níveis de sensibilidade. As glândulas endócrinas são as mais usadas nesse tipo de trabalho, especialmente as que produzem adrenalina. Portanto, devemos protegê-las do estresse e de sobrecargas de toda espécie. Doces e cafeína causam diversos malefícios, acelerando a produção de adrenalina no sangue. O álcool rebaixa a freqüência da vibração natural do corpo e nunca deve ser consumido por alguém que esteja se preparando para abrir-se para os mundos espirituais. O uso continuado de álcool e de drogas pode até mesmo trazer para você entidades que habitam planos com vibração mais baixa, no domínio astral. Essas entidades poderiam facilmente influenciá-lo negativamente e deturpar as informações que vai receber. Lembre-se de que você está se abrindo para diversos planos espirituais e precisa cuidar para que nada atrapalhe o seu contato com os que estiverem no nível mais elevado que lhe for possível alcançar.

Também é necessário realizar uma preparação voltada para suas condições emocionais e mentais. Você precisa manter sua vida equilibrada, nesses aspectos. Seus pensamentos são uma matéria real, existem de verdade e influenciam seus sentimentos. Portanto, tente ao máximo manter uma atitude positiva diante da vida. Para tanto, recomendo enfaticamente que pratique algum tipo de meditação, de visualização ou de afirmação positiva, logo de manhã, ao acordar. Lembre-se de que esses primeiros pensamentos afetam você pelo resto do dia.

As emoções trabalham de mãos dadas com seu sistema nervoso. Se você estiver com o sistema nervoso abalado, ou estressado, isso pode fechar importantes canais de energia psíquica que percorrem incessantemente a coluna vertebral de seu corpo etéreo. Você não conseguirá receber informação espiritual nítida e pura, se essas áreas estiverem bloqueadas. Toda vez que, durante uma sessão, um espírito me chega chorando, ansiosíssimo para conseguir falar com seus entes queridos, descubro que meus centros receptores e meus canais ficam bloqueados pela sobrecarga do seu estado emocional. Os sistemas trabalham em conjunto, nenhum é mais importante do que os demais. Por isso, você precisa assegurar-se de que, como um todo, mantém-se equilibrado.

Um outro elemento enormemente importante é a preparação do nível espiritual. O trabalho espiritual é um gesto de entrega, um serviço, um ato de amor. Devemos sempre almejar trazer todo o amor e compreensão de que formos capazes para aqueles com quem entramos em contato. Nossos amigos espirituais e nossos guias desejam trabalhar conosco. Devemos garantir que estamos lhes dando um instrumento com o qual valha a pena trabalhar. Os seres espirituais amam acima de tudo passar para nós o conhecimento proveniente de mundos acima de nós. Estão incessantemente procurando pessoas através de quem possam difundir sua mensagem de amor para todo o planeta. Mas o espírito só pode trazer uma informação que esteja ao alcance da compreensão do médium. Por exemplo, se me pedissem para tocar um concerto de Brahms ao piano e eu não possuísse nenhum conhecimento musical, estaria diante de uma demanda à qual não seria capaz de corresponder. Portanto, para trazer dos mundos espirituais as informações mais consistentes e relevantes, precisamos sempre estar em sintonia com as mais elevadas propriedades espirituais, com as manifestações de amor mais poderosas.

Dedique-se a uma vida de amor e de serviço em todos os setores de sua experiência física. Procure ser um exemplo vivo do dom do amor e ver todas as coisas como expressões do amor criativo que chamamos de Deus. Saiba que não há necessidade de julgar, já que o julgamento de nosso próximo é algo próprio do plano físico mais baixo. Que direito temos nós de julgar alguém por não ter aprendido ainda determinada lição? O julgamento geralmente é produto do medo. E o medo nos afasta de Deus. O medo nos faz voltar as costas para a verdade. Se queremos atingir uma compreensão mais elevada de nós mesmos, precisamos deixar de lado tudo o que não for realidade: crítica, preconceito, caprichos do ego. Em vez disso, abra-se para a luz da tolerância e do amor – o amor em sua forma mais pura – e não se perca com trivialidades dispensáveis.

Quando nos empenhamos em desenvolver nosso ser espiritual, devemos nos esforçar para aprender, por todos os meios, como a leitura de obras espirituais e a meditação. Acho também que podemos receber lições de humildade quando andamos pelas ruas, vivenciando as condições desse nosso plano terreno, e, por meio de nossas habilidades psíquicas, disseminando luz e amor para aqueles que perderam seu rumo e que necessitam de orientação.

SENSIBILIDADE E ATENÇÃO

Ao lidar com os reinos espirituais, estaremos penetrando em um mundo muito diferente do que podemos ver com nossos olhos físicos. Para executar esse trabalho de maneira adequada, precisamos desligar o mundo exterior e nos prepararmos para entrar em um mundo baseado em nossa visão interior e em nosso conhecimento. Nas minhas palestras, começo sempre informando as pessoas que estaremos nos aventurando a explorar um mundo inteiramente novo, um universo ainda desconhecido, o mundo de nosso ser interior. Qualquer pessoa disposta a dedicar seu tempo pode ter acesso a esse mundo novo. Explorar esse mundo – nos abrirmos para nosso universo interior – irá trazer um novo sentido para todos os aspectos de nossas vidas. Será assim que começaremos, de fato, a viver uma existência plena, algo que jamais imaginamos possível. Uma vida mais feliz – algo com que sonhamos constantemente. No centro desse mundo, encontraremos nosso próprio ser divino e contemplaremos as ilimitadas possibilidades de nosso espírito eterno. Ao nos habituarmos a utilizar nosso *conhecimento interior*, começaremos a substituir o medo pela verdade em cada situação de vida. Uma vez tendo alcançado essa etapa do caminho, nunca mais olharemos para o mundo físico da mesma maneira que antes. É dificílimo retornar ao modo com que costumávamos conceber a vida.

Para entrar em contato com nosso mundo interior, o melhor é iniciar com meditação. O primeiro passo é fechar seus olhos e tomar consciência de sua respiração. Ao fazer isso, você vai perceber que, cada vez que inalar o ar, estará recebendo um presente de Deus, que deve tratar com o devido respeito e reverência. Você nunca saberá quando será sua última inalação. Quando exalar, veja todos os pensamentos inúteis, os sentimentos negativos, as frustrações, as dúvidas, e deixe-os ir embora. Tome consciência do seu corpo! Sinta cada músculo, cada órgão, cada tecido. Veja o seu sangue circulando livremente através do seu corpo. Sinta-o! Deus lhe deu o corpo não apenas para sustentar a vida no plano terreno, mas para evoluir a partir dele. Para alcançar os níveis mais elevados possíveis, enquanto ser espiritual. Assim, procure tomar consciência de tudo! Quando abrir os olhos, não veja apenas a cadeira que está à sua frente, ou a porta, ou as flores. Veja tudo isso com novos olhos – com os olhos da alma, com seu olhar interior. Use seus olhos como se fossem suas mãos. Sinta a força vital vibrando a partir das flores e das árvores. Sintonize-se na vibração da energia de cada criatura vivente. Essas energias são reais, mas nem por isso são óbvias. São energias sutis que você pode captar através de seus sentidos.

ENERGIA

Tudo é feito de *energia!* Precisamos nos acostumar com essa noção. As moléculas de vida são uma força que nos rodeia e que percorre nosso organismo, todo o tempo. No entanto, cada um de nós se constitui em um centro de energia, um pequeno universo formado por ciclos de energia e por ligações que correm dentro e em torno de nós. Podemos mudar esses padrões energéticos, as cores e as freqüências, a partir de nossa vontade e de nosso pensamento. Podemos emitir energia e receber energia, contanto que nossos canais encontrem-se abertos e sensíveis.

Como podemos sentir essa energia?

Vamos começar com um simples exercício. Feche os seus olhos e mantenha as palmas de suas mãos viradas uma para a outra, a uma distância de 60 cm. Sustente-as ali por aproximadamente três ou quatro segundos. Concentre-se na área entre as palmas de suas mãos e, lentamente, aproxime uma da outra, como se estivesse apertando um acordeão. Sinta o espaço entre as palmas de suas mãos, à medida que vai aproximando-as. Mova as suas mãos – gestos circulares – e perceba os deslocamentos sutis de energia. Talvez, você precise fazer isso umas duas ou três vezes, mas vai conseguir. Posicione uma de suas mãos acima de qualquer parte do seu corpo e, devagar, aproxime a palma da mão dessa área – quanto mais você repetir esse exercício, mais se tornará sensível à tênue aura de energia que cerca o corpo humano. Talvez você perceba que algumas partes do corpo desprendem uma energia mais densa do que outras. Isso pode acontecer por muitas razões. Ali pode estar se processando a recuperação de algum tipo de ferimento. Quando algo ataca o organismo, afeta também o corpo etéreo. Portanto, sempre se pode encontrar alguma espécie de indício do ferimento ou da lesão – e o indício mais comum é uma concentração maior de energia. Outra coisa que pode fazer com que a energia se concentre mais em determinada parte do corpo é algum tipo de problema de saúde. Como já foi mencionado, qualquer alteração orgânica fica registrada no corpo etéreo, e a energia que cerca essa área tem geralmente a aparência mais densa, além de ganhar uma cor diferente do restante da aura.

CENTROS DE ENERGIA

Para desenvolver suas habilidades psíquicas, é importante aprender sobre os sete centros de energia, conhecidos como chakras – uma palavra em sânscrito que quer dizer *roda de energia.* Os sete chakras principais estão posicionados nos limites do corpo etéreo – são os portões de entrada e de saída da energia etérea. O corpo etéreo – ou nosso *duplo etéreo*, como às vezes é chamado – é o corpo de energia que rodeia o corpo físico. É uma réplica exata do corpo físico – e o que se encontra mais próximo a ele. Cada chakra do corpo etéreo tem aparência e cor diferentes e vibra, ou gira, em sua velocidade própria, assim como emite energia – espiritual, mental, emocional, física – para o seu nível correspondente.

Chakra-raiz

Está localizado na base da espinha e é conhecido como base da força vital. No corpo físico, está associado à espinha vertebral, às supra-renais, aos rins e ao cólon. É uma energia vermelha e representa nosso instinto de sobrevivência – a forte capacidade física e a vitalidade. É utilizado para redirecionar as energias para o nosso corpo e também para captar energias cósmicas provenientes do nosso planeta, para revitalizar outros centros chácricos.

Chakra do plexo solar

Também conhecido como *chakra sacri*, localiza-se cinco centímetros abaixo do umbigo. É a base de toda a intuição e da sensibilidade psíquica. É conhecido como centro de sensações – onde ficam estocadas as emoções em sua forma mais primitiva. Como se trata de um centro primariamente situado no nível das sensações, toda percepção extra-sensorial e psíquica emana dessa área. No nível físico, está associado aos órgãos sexuais, ao baço e à vesícula. Possui a cor laranja.

Chakra do baço

O terceiro centro está localizado acima do umbigo, na área do baço. Aqui, as emoções mais primitivas são elevadas a uma vibração mais refinada. Trata-se do centro de nossos sentimentos, vontade e autonomia. Essa área afeta a digestão e órgãos como o estômago, o pâncreas, as supra-renais, o fígado e a vesícula biliar. No nível físico, essa é a conexão com o *cordão de prata*, e nos possibilita as viagens astrais. O cordão de prata é uma concentração de energia sob a forma de um cordão que conecta o corpo etéreo ao corpo físico. O clarividente o enxerga com a cor prateada. À noite, durante o sono, deixamos o corpo físico e viajamos, por quilômetros e quilômetros, no mundo astral. E o que nos permite fazer isso é o fato de o corpo astral – aquele que empreende a viagem – ser conectado ao corpo físico por essa linha *da vida*, por esse cordão. Quando chega a hora da morte física, o cordão de prata rompe-se e o corpo etéreo é liberado. O chakra do baço geralmente aparece na cor amarela.

Chakra do coração

Localizado no centro do peito, entre as omoplatas, o chakra do coração é a base do amor incondicional. Aqui residem os mais elevados sentimentos de compaixão, confiança, generosidade, receptividade e tudo o que nos leva a cuidar de outra pessoa e a prestar auxílio a quem quer que seja. Daqui emanam também atributos associados à capacidade de entrar em estado de transe e de pressentir a presença de seres espirituais. Fisicamente, está ligado ao coração, à glândula timo e ao sistema circulatório. A cor desse chakra é verde.

Chakra da garganta

Quando esse centro é desenvolvido, é usado na clariaudição – pessoas dotadas da capacidade de escutar os espíritos. A pessoa realmente consegue escutar uma voz que soa à maneira da voz física, proveniente do ser espiritual – ou pode escutar os seus pensamentos como se fossem a voz do espírito. O chakra da garganta trabalha junto com o chakra do coração para ajudar o médium a alcançar o estado de transe. No que toca à mediunidade, o chakra da garganta, juntamente com o do baço e o do plexo solar, proporciona a ligação direta através da voz ao médium. Esse centro é a fonte de toda expressão criativa. No corpo físico, afeta diretamente a tiróide, o hipotálamo, a garganta e a boca. Concentrem sua meditação na cor azul, para abrir esse centro.

O chakra da terceira visão

Trata-se provavelmente do chakra mais conhecido do público. É de fato um centro importantíssimo, localizado no meio da testa. Quando desenvolvido a um nível que o habilite ao trabalho psíquico, é utilizado para a clarividência. Uma vez aberto, torna o médium capaz de enxergar as auras, além de imagens de todas as formas e de todas as cores, e os próprios seres espirituais. No corpo físico, está associado com os ouvidos, com a glândula pituitária, a pineal e com o nariz. A cor correspondente é o anil, também conhecido como índigo.

O chakra da coroa

O sétimo centro está localizado no topo da cabeça. Trata-se da entrada para as mais elevadas energias cósmicas. Quando desenvolvido, pode ser utilizado para influenciar os demais centros e para fornecer ao *trabalho sensitivo* as mais elevadas verdades do mundo espiritual. É o foco central da oração, proteção, misticismo e elevação espiritual. Para desenvolvê-lo, concentrem sua meditação num bonito tom de violeta – a cor que representa esse chakra. O chakra da coroa influencia o córtex cerebral e o sistema nervoso central.

PACIÊNCIA

Para crescer a partir de nossas experiências, devemos nos dar o tempo apropriado para desenvolver-nos. Tudo tem um ritmo e uma energia criativa particular. Em muitos casos, especialmente quando se trata de paranormalidade, não há como colocar um relógio ou um calendário para medir nossos progressos. Uma das ferramentas mais importantes é a paciência. Estamos começando a dar à luz um lado inteiramente novo de nosso ser – um lado que esteve adormecido por muitos e muitos anos. Nos últimos anos desenvolveram-se diversos sistemas de crenças, comportamentos e experiências com alta carga emocional. Precisamos escavar através de tudo isso para voltar à verdade e à nossa fonte infinita. Estou falando de nossa parte infantil que fechamos, substituindo a inocência pelo pensamento racional. Nesse tipo de trabalho, quanto mais usarmos nossa mente racional, menos progressos faremos. Quando gastamos energia em excesso analisando um pensamento ou uma mensagem, deixamos muito pouco dessa preciosa energia para utilizar no verdadeiro trabalho espiritual e psíquico. Evoluir leva tempo.

Com paciência e disciplina, você começará a perceber as mudanças. Seja compreensivo consigo mesmo, aproveite e usufrua de cada pequena nova porção de sensitividade que se aperceber. Não desista, se os resultados não acontecerem imediatamente. Seus espíritos-guias e seus amigos do outro lado sabem que você está se esforçando e darão o melhor de si para fazer bom uso do que lhes está sendo dado. Lembre-se de que você iniciou esse caminho cheio de condicionamentos e que leva tempo para que os espíritos consigam renovar sua mente e despertar sua sensitividade. Seja paciente!

UMA MENTE ABERTA

Quando você penetra no mundo espiritual, está experimentando algo que a maioria das pessoas sequer acredita que exista. Grande parte dos indivíduos deste mundo abafou sua sensibilidade há muitos anos, esperando que essa espécie de sonolência os ajudasse a sobreviver ao tumulto emocional do mundo físico.

Todos os dias, vivenciamos coisas que não podem ser explicadas. Alguns se referem a essas experiências como coincidências, acidentes, ou apenas sorte. Decididamente, *não existem tais coisas!* Quando somos sinceros com nós mesmos e enviamos pensamentos sobre nossas necessidades e desejos, muito freqüentemente o que persistimos em mentalizar acontece em nossas vidas. Trazemos para nós experiências que podem ajudar em nosso crescimento e aprendizado. Digo a todos os meus clientes, durante as sessões, que deixem de lado as idéias preconcebidas ou suas expectativas sobre o que poderá acontecer. Só assim estarão preparados para todas as possibilidades. Com uma mente aberta, poderemos entender profundamente idéias e expressões que passaram despercebidas ou que menosprezamos.

COOPERAÇÃO

Você não está só nesse trabalho. Tem parceiros, no mundo espiritual. Como já afirmei, você precisa fazer a sua parte, e o espírito faz a que lhe cabe. Quando desejar contatar o mundo espiritual, precisa ter em mente que os espíritos também possuem vontade própria. Se decidirem vir a você, empenharão suas vibrações energéticas e se concentrarão para lhe transmitir uma mensagem. Mas pode ser que não queiram fazer isto. Se decidirem trabalhar com você, precisam entender o que está querendo comunicar. O fato de terem morrido não significa que já dominem os mecanismos de comunicação espiritual. Você precisa deixá-los saber como quer que eles se comuniquem. Diga-lhes para imprimir a mensagem em sua mente, de uma determinada maneira. Por exemplo, se você quiser saber se é a energia de um homem ou de uma mulher que está recebendo, peça-lhes que imprimam seu gênero em sua mente. Se quiser saber se está falando com seu pai ou com sua mãe, precisa estabelecer um sistema de comunicação e explicar como funciona, para que o espírito possa se adaptar.

Aqui vai um exemplo. Se estou me comunicando com o pai de alguém, ou com um espírito da família do pai de alguém, peço ao espírito para ficar à esquerda do meu cliente. Se o parentesco é pelo lado da mãe, peço-lhe que fique à direita. Se é uma criança, peço-lhe que se coloque à frente do consulente. Se é um avô ou avó, peço-lhe que fique atrás dele. Esse sistema é bastante claro para que os espíritos possam usá-lo.

Se não os estiver escutando, precisa enviar um pensamento pedindo que *falem mais alto!* Nem sempre os espíritos estão conscientes das freqüências em que devem ajustar suas mensagens para poderem ser ouvidos. *Você* é que deve dizer isso a eles.

Muitas vezes meus clientes me vêem voltando a cabeça e conversando com o ar. Digo: "Sim, eu escutei!" Ou: "Não. Repita, por favor." É o meu jeito de informar aos espíritos sobre como está nossa comunicação. Como você vê, é preciso estabelecer suas próprias regras, baseadas em cooperação e confiança.

Com que freqüência devo contatar os espíritos? Será que não vou incomodá-los? Muitos me perguntam coisas assim e só posso reiterar o que já disse, anteriormente. Sua família e seus amigos que passaram para um novo estado de consciência não se esqueceram de você. Pelo contrário, estão mais disponíveis do que estiveram, enquanto viviam neste plano. Sabem mais a respeito de seu caminho espiritual e de suas motivações do que quando estavam na Terra. Sintonizam suas vibrações e as checam regularmente. Mas isso não significa que, quando um espírito foi convocado, ele deixará tudo de lado para lhe atender. Os espíritos possuem liberdade e vão usá-la, da mesma maneira como o faziam na Terra.

Você vai ao trabalho todos os dias, e se mantém em um emprego, para poder ganhar a vida neste plano. Quando seus amigos e parentes passam para o mundo espiritual, também preenchem suas existências com algo que se pode chamar de um emprego – o trabalho para obter seu progresso espiritual. Quando você os chamar, através de seus pensamentos, eles o ouvirão *alto e claro.*

Portanto, se você volta e meia torna a chamá-los, é como se o telefone em cima de sua mesa não parasse de tocar. Ia acabar dificultando o trabalho que tem pela frente. Claro que você pode chamá-los de vez em quando – e é isso o que esperam –, mas nunca deve tornar-se obsessivo. Você estaria retardando o progresso deles e se afastando do trabalho que precisa desempenhar aqui.

AMOR

Você está neste planeta para aprender as lições básicas sobre o amor e sobre sua responsabilidade em relação a si mesmo e ao próximo. Essas lições aparecem em cada momento de nosso cotidiano. Sempre que iniciar um trabalho com os espíritos, deve centrar-se no fundamento do amor. Nele não existe lugar para a ganância ou para a necessidade de autopromoção. O trabalho espiritual não deixa espaço para ninguém alimentar o próprio ego. Não estou dizendo que uma pessoa espiritualizada seja privada de seu ego. O ego é importante para conduzir o trabalho a bom termo. Mas não se pode colocar o ego à frente do amor. À medida que você for se desenvolvendo, começará a enxergar diversos e variados aspectos do amor – porque, de fato, há muitas formas de amor. Quanto mais se envolver nesse trabalho, mais aprenderá a valorizar qualquer ato de amor – por menor que seja.

EXERCÍCIOS DE DESENVOLVIMENTO

Meditação

Para aumentar sua sensitividade e sua capacidade de estar atento às presenças espirituais, você deve praticar regularmente a meditação. Seu desejo de desenvolver-se determinará a quantidade de tempo que empregará meditando. Se está apenas começando, recomendo que pratique meditação pelo menos duas vezes por semana. Torne isso um hábito, fazendo-o sempre na mesma hora do dia. Dessa maneira, você não apenas começará a estabelecer uma disciplina como também permitirá ao mundo espiritual saber que aquela é a sua hora para exercitar-se e desenvolver-se. Se possível, tente meditar por pelo menos quinze minutos, a princípio; gradualmente indo para trinta minutos, quarenta e cinco... Mas não se preocupe excessivamente com o tempo de meditação. Esse tempo pode ser estabelecido por seus guias espirituais, não por você.

No capítulo seguinte há uma descrição detalhada de vários tipos de meditação que você pode fazer. Não existe uma forma certa ou errada de meditar. O objetivo de cada exercício é produzir em você um estado de relaxamento. Você estará tentando entrar em contato com o mundo interior e tornar-se mais sensível à sua existência.

Círculo

A maioria das pessoas que deseja desenvolver seus dons mediúnicos julga mais benéfico e mais viável, além de praticar a meditação sozinhas, reunir-se ao que se convencionou chamar de *círculo de desenvolvimento*. Um círculo de desenvolvimento é composto de duas ou mais pessoas que se reúnem toda semana à mesma hora para desenvolver suas energias mediúnicas.

Geralmente, um círculo mantém os mesmos participantes, toda semana. É importante que haja uma harmonia entre as energias dos diversos membros do círculo. Não deve haver conflitos nem choque de egos. De outro modo, isso irá prejudicar o desenvolvimento do grupo e impedi-lo de alcançar níveis de aprendizagem espiritual mais elevados, que estariam potencialmente acessíveis. As vibrações de um grupo que trabalha bem sempre podem atrair os espíritos. Pertencer a um grupo é um compromisso e somente deve ser assumido sob a condição de todos os membros estarem dispostos a gastar uma ou duas horas, no mesmo horário, toda semana. A razão é muito simples: para ajustar ou sensibilizar um ou vários membros do grupo, o mundo espiritual reserva um determinado tempo para sintonizar-se na energia do grupo e para reunir essas energias. A idéia é ir progredindo no trabalho, semana após semana, e não precisar refazer todo o trabalho, a cada vez.

Quando um círculo é criado, uma pessoa deve ser escolhida para liderar o grupo. Geralmente, é alguém que tenha alguma experiência com desenvolvimento de energia psíquica. Na abertura do círculo, deve-se proferir uma prece para dar as boas-vindas aos espíritos-guias e aos amigos que irão se apresentar para trabalhar com vocês, pedindo que protejam o grupo. Ao final da oração, pede-se a todos os participantes que visualizem uma luz branca – a luz do amor –, circundando o grupo e se espalhando por todo o ambiente, como uma proteção complementar.

A seguir, o grupo pode querer escutar algum tipo de música espiritualizada, como uma fonte adicional de energia. Os espíritos também usam esse tipo de música. Nesse ponto, alguns grupos iniciam a discussão de determinados temas. Sugiro que se fale o mínimo possível, já que isso diminui o tempo que os espíritos teriam para o trabalho de desenvolvimento.

Antes de iniciar o encontro, os participantes devem decidir para qual das pessoas do grupo deve ser dirigida a energia. Pode acontecer de apenas um possuir poderes mediúnicos e de o grupo haver decidido trabalhar em conjunto para desenvolver ainda mais a sensitividade daquele membro. Caso vários membros possuam poderes mediúnicos, é importante distribuir as energias. É aqui que entra o líder, controlando o tempo dedicado a cada um e informando ao grupo quando passar para outra pessoa. A idéia é enfocar toda a energia mental naquela pessoa, sob a cor branca, a cor que representa a luz do amor de Cristo.

Uma vez sentado em círculo, você poderá sentir frio nas partes mais baixas do corpo. Geralmente, esse é o sinal de que os espíritos estão se sintonizando às energias do ambiente. Pode acontecer também de seu *terceiro olho* captar sinais algo triviais, símbolos. Essas imagens podem penetrar em sua consciência sob diversas formas – círculos, quadrados, luzes coloridas, cenas, objetos, faces e formas elaboradas ao acaso. Muitas vezes, serão equivalentes a cenas e a objetos vistos nos sonhos. Não as desmereça, pois talvez signifiquem alguma coisa para alguns dos participantes do grupo. Da melhor maneira que lhe for possível, tente lembrar tudo o que viu, sentiu ou escutou. Mesmo que não consiga interpretar a informação, pode se surpreender ao constatar como algo sem significado para você ganha importância para outra pessoa do grupo. Eventualmente, alguém no grupo pode ser acometido de estranhas sensações na cabeça ou no peito. Comigo, essa espécie de sensação assemelha-se a roçar em uma teia de aranha. Mais uma vez, isso quer dizer que os guias espirituais estão trabalhando com nossas energias. Na maioria dos casos, trata-se do efeito de uma aura ectoplásmica ao seu redor. O ectoplasma se desenvolve de modo crescente, a cada vez que o grupo se encontra. É predominante, geralmente, quando um dos membros do grupo é dotado de habilidades mediúnicas físicas. Os espíritos constroem a energia em torno daquele indivíduo e os demais podem começar a ouvir *arranhões e batidas* – são os espíritos testando a energia daquele participante.

Quando chegar a hora de o círculo concluir seu trabalho, o líder pede a todos para, lentamente, retornarem à consciência do seu corpo físico. Quando todos retornam em segurança – e é muito importante aguardar até que o último retorne –, o líder profere uma prece de encerramento, agradecendo aos espíritos que os auxiliaram. Geralmente, envio amor e luz aos menos afortunados no mundo. Terminada a prece, é chegado o momento de os participantes compartilharem entre si cada sensação, cada mensagem, cada sinal recebido, resgatando assim tudo o que aconteceu no círculo.

EXERCÍCIOS PSÍQUICOS BÁSICOS

O sucesso no mundo espiritual é medido pela sensitividade do indivíduo. Trabalhe com a meditação e no círculo. Ambos prepararão você para sentir e, talvez, para ver e ouvir os espíritos.

Chegará o tempo em que você estará pronto para pôr em prática suas habilidades espirituais e psíquicas. Como enfatizei diversas vezes neste livro, tudo é energia. Depois de seu período de preparação, você pode começar a utilizar essa energia para verificar o que pode captar dela. A seguir, algumas maneiras de testar suas habilidades.

Psicometria

A *psicometria* é a habilidade de sentir ou pressentir a história de um objeto ou da pessoa a quem o objeto pertença, através das emanações de energia do objeto. A psicometria pode ser usada com alguém que haja passado para o outro lado ou para alguém que ainda viva no plano terreno. Primeiro, vá para um estado meditativo ou entre em um transe leve, no qual esteja totalmente relaxado. A seguir, segure um objeto em sua mão esquerda e, prontamente, sinta a energia que se desprende dele. Talvez você receba impressões tais como características físicas ou a aparência do dono do objeto. Mas pode receber sensações de cunho emocional. Lembre-se de que a psicometria pode ser aplicada a qualquer objeto, incluindo fotografias. Por meio do exercício da psicometria, você se tornará capaz não apenas de captar impressões dos seres viventes, mas também provenientes do mundo espiritual. Não comece a raciocinar muito sobre o que está recebendo e *não* guarde para si o pensamento transmitido. Expresse exatamente o que estiver recebendo.

Escrita automática

A escrita automática é um exercício usado especificamente por aqueles que desejam contatar espíritos-guias e seus entes queridos. Para ser realizada, exige previamente toda uma prática de meditação. O espírito precisa ser notificado, através de uma mensagem mental, da hora e lugar exatos em que será feito o trabalho. No fundo, você estará agendando um compromisso com o mundo espiritual. Quando chegar a hora acertada, entre em meditação. Você deve se colocar em um ambiente no qual nada possa distraí-lo. A seguir, sente-se ereto junto a uma mesa com um bloco de papel e uma caneta em frente a você. Muito suavemente, segure a caneta de encontro ao papel. *Não pense* naquilo que vai escrever. Quando sentir uma modificação na energia à sua volta, ou em sua mão, comece a dirigir perguntas ao espírito. Na maioria dos casos, a pessoa sente uma espécie de premência de escrever – simplesmente, obedeça-a. Insisto: *não pense* naquilo que vai escrever. É recomendável que sequer olhe para o papel, até terminar. Quando sentir que a energia foi embora, deixe de lado a caneta e leia o que seu amigo espiritual lhe enviou. Você pode ficar muitíssimo surpreso com aquilo que recebeu.

Sonhos

Muitas pessoas já me perguntaram se é possível alcançar aqueles que já partiram através dos sonhos. Há uma resposta inequívoca para essa pergunta: SIM!

Toda noite, o corpo espiritual deixa o corpo físico, quando estamos adormecidos. O corpo físico é reabastecido de energias cósmicas, e o mesmo ocorre com o corpo espiritual, em um plano mais elevado.

Sonhando, somos suscetíveis a impressões provenientes do espírito porque não estamos absorvidos por nosso nível mental ou pelo consciente. Em outras palavras, a maior parte de nosso controle está repousando, assim como nossa racionalidade. Portanto, é mais fácil captar impressões. No corpo espiritual, somos muito mais capazes de ver as pessoas queridas e nossos guias e, possivelmente, prever eventos futuros, ou rever nossas vidas passadas. É também uma situação na qual os espíritos de nossos familiares comunicam-se conosco. Por estarmos mais próximos dos níveis espirituais, quando sonhamos, torna-se, na verdade, mais fácil nos comunicarmos com os que já faleceram. Como afirmei em capítulo anterior, a melhor maneira de alcançar um espírito durante o sono é pensar nele antes de adormecer. Diversos clientes meus utilizaram com êxito esse método. No entanto, muitos não lembram as visitas que receberam, ou lembram-se apenas de relances, pedaços soltos. Normalmente, nossos sonhos não fazem qualquer sentido. Recordar os sonhos requer prática e disciplina.

Há muitas maneiras de recordar nossos sonhos. Uma delas é manter um gravador junto à cama e, logo ao acordar, registrar todas as impressões, cenas e sensações de seus sonhos. Você também pode tomar notas, mas muitas pessoas acham difícil manter esse método por muito tempo. Se você se habituar a gravar seus sonhos, ficará impressionado ao verificar como isso aumentará a sua capacidade de lembrar-se deles.

Visões

Muitas pessoas já me afirmaram que viram pessoas queridas de pé, no quarto, junto a suas camas, ou sentadas em uma cadeira da sala. Quando você é mais receptivo e menos bloqueado mentalmente, é muito possível que isso aconteça.

Fazer um pacto

Outro exercício para contatar o mundo espiritual consiste simplesmente em pedir ao seu espírito amigo para estar presente numa hora determinada do dia. Explique-lhe que você pretende comprovar sua existência por meio de uma tarefa específica. Por exemplo, uma cliente que perdeu um filho pedia a ele toda noite: "*Deixe um sinal para eu saber que você está aqui. Pisque as luzes da rua uma vez se a resposta for sim e duas vezes se for não.*" Depois de dois meses, repetindo diariamente esse pedido, o espírito chamado respondeu – exatamente da maneira como lhe era pedido. Pode ser que nem todas as pessoas que tentem algo assim tenham êxito. Obviamente, essa mãe e o espírito de seu filho estavam determinados a reencontrar-se. É mais fácil quando você pede aos espíritos para provar sua presença por meio de tarefas simples. Não lhes peça para mover objetos, abrir portas, ou cantar alguma canção. FACILITE! Lidando com a energia dos espíritos, descobrimos que a maneira mais fácil de demonstrarem sua presença é usando algum tipo de energia elétrica. Os espíritos podem interferir na energia elétrica de várias maneiras. Muitos são capazes de modificar o equilíbrio do campo de força elétrica dos prótons e elétrons, causando efeitos em aparelhos ou dispositivos elétricos da casa. Isso acontece principalmente quando a pessoa falecida tinha alto teor emocional. A energia emocional pode ser utilizada como condutor.

Resultados

Abaixo, relacionamos algumas maneiras através das quais os espíritos comunicam sua presença àqueles a quem amam, sem necessidade de valer-se de um médium.

• LUZES. Muitas vezes, você verá as luzes da sala piscarem, ou lâmpadas novas queimarem-se de repente. Isso acontece muito quando o espírito passa muito tempo junto a você ou quando quer chamar sua atenção.

• TELEVISÃO. É reconhecido que os espíritos possuem a capacidade de embaralhar as imagens dos aparelhos de tevê. Há casos em que o rosto do espírito aparece na tela, ou em que o aparelho liga e desliga sozinho, nas horas mais estranhas.

• RÁDIOS. Os aparelhos de rádio-relógio junto à cama das pessoas mais próximas do espírito podem ligar-se, em horas diferentes. Em alguns casos, trata-se de uma hora com um sentido especial para a pessoa falecida. Muitas vezes, o rádio poderá ligar-se quando uma música em particular, extremamente significativa, estiver tocando.

• MÚSICA. Muitas vezes, os espíritos imprimem em você uma canção, ou o fazem pensar neles, quando escuta determinada música.

• RELÓGIOS. Já foi relatado em diversas ocasiões que relógios podem parar no exato segundo em que a pessoa falece. Ou pode acontecer de o relógio parar de funcionar sem razão aparente.

• TELEFONES E SECRETÁRIAS ELETRÔNICAS. Depois que alguém morre, é possível receber uma chamada telefônica, sem que ninguém fale, do outro lado da linha. Ou você poderá até mesmo escutar a voz daquele espírito. Há casos relatados em que a voz ficou registrada na secretária eletrônica.

• ELETRODOMÉSTICOS. Como se sabe, muitas vezes equipamentos domésticos param ou começam a funcionar repentinamente, sem que ninguém mexa neles. Esse é outro modo de os espíritos chamarem sua atenção. Encontrei vários desses casos, especialmente se um espírito costumava, durante a vida, dedicar-se bastante à culinária, ou passava grande parte do seu tempo na cozinha.

• COMPUTADORES. Ultimamente, tornou-se bastante comum o chamado FVE – Fenômeno da Voz Eletrônica. Os espíritos não só são capazes de utilizar os telefones e as secretárias eletrônicas, mas aparecem também nas telas dos computadores. Não há quem explique uma ocorrência como essa. O espírito deseja apenas reafirmar que ainda está vivo para um ser amado. Pode ser também que em sua vida terrena o espírito fosse especialmente interessado em computadores.

OUTROS SINAIS

• CHEIROS. Um sinal muito comum, imediatamente depois ou muitos meses depois da partida de uma pessoa, é o seu cheiro. De repente, alguém percebe um perfume, um odor – por mais fraco que seja –, de cigarro, de rosas, algo familiar. Esses cheiros estão sempre associados aos que partiram. Por exemplo, a mãe de uma pessoa poderia costumar usar um perfume, em particular, e, inesperadamente, aquele aroma invade o ambiente. O mesmo vale para o cheiro de cigarros, caso o ente querido fosse um fumante. Esses odores são maneiras daqueles que nos amam nos deixarem saber que estão próximos.

• PRESENTES. Os espíritos mandam muitos presentes, mas não os relacionamos com nossos entes queridos. Ocorre bastante algo como, no meio de uma sessão, o espírito dizer: "Espero que tenha gostado daquele colar que comprei para você na semana passada." O consulente me lança um olhar aturdido e pergunta: "Mas do que você está falando?" E eu explico que o espírito pode nos conduzir a comprar certas coisas. Uma das maneiras como os espíritos intervêm em nosso favor é, por exemplo, quando recebemos uma dúzia de rosas anônimas, ou quando estamos tendo dificuldades para fechar certo negócio e o espírito nos ajuda a resolvê-lo, ou quando repentinamente conseguimos o emprego que tanto queríamos. Esses são sinais de que aqueles com quem compartilhamos nosso amor continuam conosco, zelando por nós.

• ANIMAIS. Os animais são muito usados pelos espíritos. Várias vezes os espíritos conseguem influenciar um pássaro, ou algum animal de pequeno porte, levando-o a vir chamar nossa atenção de alguma maneira. Esse é outro sinal da proximidade do espírito.

Certa vez, por ocasião da morte de uma grande amiga minha, fui a Nova York, que nessa época estava debaixo de meio metro de neve, para visitar seu túmulo. Tive alguma dificuldade em localizá-lo, até que, de repente, um caminhão parou junto a mim e um zelador do cemitério saltou.

– Você está justamente olhando para o túmulo que procura! – ele disse.

Agradeci, ele voltou ao caminhão e afastou-se, dirigindo o veículo. Achei muita coincidência ter aparecido alguém no momento certo. Depois que ele foi embora, levantei os olhos para o nicho e, bem ali junto, um gaio de penas azuis brilhantes estava empoleirado no galho de uma árvore. Lembre-se de que estava terrivelmente frio, com neve por toda a volta; mesmo assim, não dei muita atenção, até que mais tarde fui visitar o marido dessa minha amiga, Jack. Entrei na casa e as primeiras palavras de Jack foram:

– Se você quiser alguma lembrança de Connie, por favor, é só pegar.

Algo me fez virar a cabeça para a direita e, em uma prateleira, estava um pássaro azul de vidro olhando fixamente para mim.

Capítulo 11

Meditações

É sempre um consolo saber que neste mundo que imaginamos frio e sem coração, onde aparentemente dominam a tragédia e a intolerância, onde o razoável e o racional nada mais são do que um sonho, exista um refúgio onde predomina o amor. Trata-se de um mundo com potencial ilimitado, impregnado da alegria divina. Esse mundo de deleite está disponível a todos os que escolherem abrir a porta. Onde fica esse lugar de felicidade e amor? Esse domínio de paz é encontrado no SILÊNCIO. O silêncio de *ser*... apenas ser. Porque é no precioso silêncio de nosso íntimo que o divino pode ser encontrado.

Quando nos concentramos e escutamos aquela débil voz em nosso interior, estamos nos ligando ao silêncio de ser. Esse *autoconhecimento* pode ser utilizado em diversos aspectos de nossas vidas para amadurecer e aprimorar cada experiência. Há tantas pessoas que atravessam seu dia-a-dia buscando uma razão para viver. Deploram sua própria sina e sofrem em demasia por isso. Se utilizassem um único instante para deter-se e escutar sua voz interior, começariam a abrir-se para um nível de compreensão praticamente inesgotável. Mas como alcançamos esse SILÊNCIO? Como penetramos nesse conhecimento superior de nós mesmos? Como distinguimos nossa voz interior? A resposta a essas perguntas e o melhor caminho que posso indicar é a meditação.

O que é a meditação? É muito simples. É voltar o foco de nossa consciência de uma instância do ser para outra. No fundo, significa desligar o mundo exterior, nossa experiência cotidiana, e sintonizar ou voltar nossa atenção para nosso mundo interior. Quando nos sentamos em silêncio e dirigimos toda a concentração para nosso íntimo, nossa consciência sobre nosso eu profundo é reforçada e as dimensões espirituais da alma são reveladas. Quando meditamos ou concentramos nossas energias em nossa essência, recuperamos nossa integridade, nosso eu único e infinito. Nesse estado, descartamos a idéia da dualidade que nos separa de nossa porção divina. Tal dualidade é baseada em uma falsa negatividade, em medo, ansiedade, perturbações doentias, sofrimento, frustração, e tudo o que se torna nossa realidade, quando estamos fora de sintonia com nosso eu mais elevado.

Quando meditamos, utilizamos energias cósmicas que, por sua vez, nos iluminam e energizam os vários centros espirituais do corpo. Essa energia é focalizada prioritariamente no *chakra do coração* ou *centro*. Quando meditamos, a luz do amor incondicional se acende dentro de nós, tornando-se mais forte a cada nova meditação. Devemos lembrar que o chakra do coração é a corporificação da presença de Cristo, é a base de nossa alma. Quanto mais nos concentramos nesse centro, mais evoluem nossos sentimentos de amor incondicional e, em contrapartida, com mais firmeza conseguimos transformar cada aspecto de nossas vidas e influenciar a todos com quem temos contato. Todas as coisas começam no chakra do coração. Meditando, nossos centros psíquicos se elevam, porque o fluxo da presença de Cristo originado no chakra do coração se espalha para todos os centros psíquicos – ou chakras – do corpo. A certa altura, poderemos nos sintonizar com essa poderosa energia que flui pelo corpo.

COMO MEDITAR

Quando as pessoas escutam a palavra *meditação*, a primeira imagem que lhes vem é a de um iogue na posição de lótus, entoando *uums* em um ambiente impregnado de incenso. Parte disso é verdadeiro. Podemos nos sentar na posição de lótus e entoar o *Om*, mas não necessariamente. A meditação é meramente uma concentração de nosso foco. Quanto mais praticamos, mais nos tornamos capazes de penetrar no fluxo de uma infinita força vital.

Ao mesmo tempo, muitas outras formas de meditação não requerem esse estado de absoluto repouso do corpo. Estarei falando neste capítulo de um tipo de meditação formal, mas há muitos outros. Por exemplo, o mesmo foco de energia pode ser obtido ao praticarmos atividades como a pintura, a jardinagem, ao escrever, cantar, encenar uma peça teatral, trabalhar, ao nos dedicarmos a algum exercício físico, ao dirigir, etc. Sempre que nos sintonizarmos às nossas forças criativas interiores, estaremos meditando.

PRELIMINARES

A seguir, relaciono algumas sugestões para aqueles que desejam iniciar uma prática de meditação ou um exercício de relaxamento. Chamo a isso *preliminares.*

A. Reserve um lugar especial para a meditação

A primeira coisa a fazer é escolher um ambiente em sua residência para praticar a meditação. Pode ser no seu quarto, na sala de estar, em uma sala reservada qualquer. Lembre-se de que este ambiente será usado para o seu exercício espiritual e, assim, você deve pensar nele como uma espécie de *oficina espiritual.* O importante é ter em mente que esse ambiente está reservado para seu relaxamento, para seu trabalho interior. Escolha um lugar do aposento onde possa meditar sem interrupção, com o mínimo de interferência do mundo exterior.

Antes de começar, desligue os telefones, as secretárias eletrônicas e qualquer coisa que possa tirar sua concentração ou incomodá-lo. Se quiser, pode queimar algum incenso, ou colocar ali um vaso com flores frescas. Você pode também pôr para tocar uma fita com música relaxante, mas nada do tipo agitado – ajuste o som para tocar baixo. Essas são algumas das ferramentas para ajudá-lo a concentrar o foco em seu íntimo.

B. Escolhendo uma posição para meditar

Você pode sentar no chão ou em uma cadeira com encosto reto – seja onde for que se sinta confortável. Importa apenas que sua coluna vertebral esteja ereta, como se você estivesse sendo puxado por um fio preso ao topo de sua cabeça. Dessa maneira, as energias poderão fluir mais facilmente para cima e para baixo da coluna vertebral.

Se estiver sentado numa cadeira, descruze as pernas, apóie os pés no chão e vire as palmas das mãos para cima, descansando sobre suas coxas. Se você sentar-se no chão, dobre suas pernas na posição iogue, com as plantas dos pés viradas uma para a outra, joelhos no chão e as palmas das mãos viradas para cima, sobre suas coxas.

C. Exercício de relaxamento

Uma vez na posição adequada, concentre-se em sua respiração. Este é um elemento vital na meditação. No início, pode ser que custe algum esforço e controle para manter o ritmo. Isso acontece em qualquer atividade, e mais ainda na meditação. Com alguma prática, você deixará de prestar atenção à respiração; automaticamente, a inspiração e a expiração encontrarão o ajuste apropriado. O ideal é manter a respiração no meio do abdômen, fazê-lo lentamente, manter-se sempre relaxado – nada de engolir o ar abruptamente, nem a intervalos curtos e rápidos.

Quando começar a respirar, feche os olhos. Pense que sua respiração é tudo, pois sem ela você não sobrevive. Inicie cada inalação lentamente, pelo nariz. Ao fazer isso, visualize uma luz clara e dourada, representando a luz de Cristo, brilhando um pouco acima de sua cabeça. Inale essa luz e deixe-a penetrar em todo o seu ser, veja-a entrando por sua cabeça, viajando através da sua garganta e pelo peito, espalhando-se para os seus braços e mãos, e então descendo para o torso, para as pernas e para os pés. Segure a respiração, contando até quatro, e veja a cor dourada preencher cada célula do corpo com a sensação de amor incondicional, pureza e plenitude. Ao chegar a quatro, exale pela boca, e imagine que toda a negatividade, o estresse, a ansiedade foram drenados para fora do seu corpo, vagarosamente, saindo de sua boca como uma névoa cinzenta. A cada exalação, você se sentirá mais leve, irá livrar-se de energias pesadas e densas. Essas energias serão substituídas por uma luminosidade brilhante e elevada – a luz dourada de Cristo.

Ao conseguir tornar-se mais relaxado, visualize cada parte do seu corpo, solte todo o estresse presente naquela parte. Você pode fazer isso tensionando os músculos daquela área e depois relaxando-os, mandando embora o estresse. Com sua visão interior, visualize os dedos dos pés, tensione-os e depois relaxe-os. Faça a mesma coisa com os tornozelos, com as panturrilhas e com suas coxas. Vá então para as nádegas, para a região pélvica, para o estômago, para o abdômen e para o peito. Você deve relaxar suas costas completamente, e também o pescoço, os ombros e toda a cabeça. Finalmente, tensione e depois relaxe os braços, incluindo bíceps e tríceps, e as mãos. Feche os punhos, depois relaxe-os. Certifique-se de conduzir a luz dourada para cada parte do seu corpo, tensionando-a e depois relaxando-a.

Depois desse exercício, você deverá estar totalmente relaxado. Nesse estado de relaxamento, fica mais fácil concentrar sua energia no exercício de meditação. Abaixo há três exercícios que recomendo. No entanto, se você deseja apenas relaxar, depois de um dia muito estressante, pode parar por aqui.

DESPEDINDO-SE DE QUEM VOCÊ AMA E DIZENDO QUE SIGA SEU CAMINHO

Uma vez completadas as preliminares, você pode valer-se deste exercício para libertar o espírito daqueles a quem ama. Comece visualizando a pessoa com sua visão interior – *o olho de sua mente.* Veja-a de pé bem à sua frente, gozando de perfeita saúde. Qualquer enfermidade, tenha sido câncer, AIDS, mal de Alzheimer ou outra, não afeta mais esse corpo novo em folha. Mesmo que tenha sido algum tipo de morte abrupta, não importa. Visualize a pessoa como se ela estivesse perfeita, feliz, cheia de vida.

Visualize o maior número de detalhes. Pode ser que queira vê-la trajando alguma roupa em especial. Se for capaz, imagine seu aroma, seu perfume habitual. Talvez ela tenha alguma marca de nascença, ou uma certa postura ou posição que costumava adotar, um determinado jeito de pentear o cabelo. Quanto mais detalhada for a sua imagem, maior êxito o exercício alcançará.

Com essa imagem detalhada da pessoa amada bem nítida em sua mente, inicie a conversa. Pergunte-lhe como foi sua transição para a condição de espírito. Pergunte: "Como você está agora?" Conte-lhe como você tem passado desde sua morte. Fale-lhe da dor que ainda sente, converse com essa pessoa que você tanto ama, ouça suas respostas. *Não interrompa* o exercício, mesmo que sinta estar falando sozinho. É importante prosseguir sem qualquer interferência de racionalizações. Sinta o prazer desse reencontro. Talvez isso lhe traga lembranças do tempo em que estiveram juntos, na Terra, e do prazer que proporcionavam um ao outro.

O próximo passo na sua jornada é tomar a mão dessa pessoa amada, para viajarem juntos até um lindo jardim, repleto da luz mais brilhante, mais bonita e de flores coloridas. Sinta o perfume desse jardim. Nessa paisagem maravilhosa existem estátuas esplêndidas, fontes magníficas, pássaros cantando. Escute o barulho das crianças brincando, a distância. Tudo em volta é perfeito. Sinta o prazer de estar em um lugar como esse, o esplendor, a paz, a serenidade.

Ao estender a vista para mais longe, você enxergará uma massa de prédios. Encaminhem-se para lá. Quando chegarem mais perto, você verá os brilhantes pilares aperolados de um prédio inacreditável. Uma certa luminosidade rósea emana desse edifício. Em volta haverá outros, todos mantendo uma distância conveniente uns dos outros. Cada prédio é um pouco diferente dos outros, mas todos envoltos numa atmosfera celestial.

Vocês entrarão no prédio principal e logo se verão em uma enorme sala. No centro há uma grande tela de cinema. Ao olhar para a tela, as luzes se apagarão e o filme começará a passar. O filme mostra as experiências que você e essa pessoa tão querida compartilharam. Começa quando vocês se conheceram e prossegue daí em diante. Ao assistir ao filme, reviverão cada experiência, todas as emoções. Não tenham pressa, aproveitem cada cena – sintam novamente o prazer de tudo o que viveram juntos.

Quando o filme termina, vocês sentem alívio, saciedade. Mais uma vez, tiveram o privilégio de compartilhar uma experiência. Só que ainda não acabou. Há ainda mais experiências para serem divididas no futuro. Você começa a compreender que compartilhou com o ser amado muitas existências no passado e que estarão juntos também no futuro. A vida continua, tanto na Terra quanto nos céus.

A seguir, vocês deixam o prédio e voltam ao jardim. Há cenários maravilhosos à sua volta, flores inacreditavelmente bonitas e, caminhando pela relva, diversos seres, vestidos de branco. Você pergunta: "Quem são?" E seu acompanhante responde: "São meus professores. Estão me auxiliando a aprender um pouco mais sobre este mundo." Fixando os olhos daqueles seres, você encontra imensa sabedoria e compaixão. Eles retribuem seu olhar com um sorriso e você se convence de que seu ente querido encontrou seu lugar. Ele chegou ao lar, um lugar de inacreditável vida e crescimento. Um dos mestres se aproxima e lhe entrega um coração de prata, preso a uma corrente. Ele lhe pede para abrir o coração e diz: "Encha seu coração com todas as coisas maravilhosas que você deseja que seu ente querido guarde consigo, neste mundo." E, repentinamente, sua mente está repleta e todos os seus pensamentos convergem para aquele coração de prata. Tudo o que você sempre quis dizer àquele a quem você ama, cada palavra não pronunciada, cada sentimento, tenha sido ou não expresso, tudo, enfim, o que você quer que ele recorde. Veja esses pensamentos, esses sentimentos e palavras preenchendo o coração de prata. E, à medida que isso acontece, o coração começa a brilhar mais, de tal forma, que você mal pode olhar para ele. Você coloca a corrente em volta do pescoço da pessoa a quem ama, para que o tenha sempre consigo. É aquela parte do seu amor que jamais pode morrer. Você abraça a pessoa e ela lhe diz: "Estarei sempre junto de você."

Chega o momento de retornar para o plano terreno. Seu ser amado deve continuar onde está, aprendendo e trabalhando. E o mesmo acontece em relação a você. Você parte desse reino de esplendor, dono agora do real sentido da vida e *sabendo* que se reencontrarão nos jardins do Paraíso, quando você completar seu aprendizado na Terra. E, quando chegar essa ocasião, você será recebido, em seu lar espiritual, por essa pessoa a quem ama.

PERDÃO E ARREPENDIMENTO

Toda vez que alguém passa para o outro lado, os que ficam são deixados com seus arrependimentos e com uma carga de sentimentos que nunca souberam manifestar. E *se eu tivesse...? Se pelo menos...* Escuto essas expressões freqüentemente. Os que permanecem vivos sentem-se abandonados, amargurados, como se algo houvesse partido seus corações, como se não fossem capazes de continuar vivendo. Sentiriam-se muito melhor se lhes fosse dada nova chance de compartilhar seus sentimentos com seus seres amados. Não sabem o que fazer com suas culpas. A meditação que vou descrever a seguir foi formulada para ajudar a nos livrarmos de culpas e de arrependimentos.

Depois das preliminares, visualize a si mesmo de pé diante de um chalé, no meio de um lindo campo. O chalé foi criado exatamente para atender ao seu gosto, incluindo as cores, o tipo de madeira e assim por diante. Talvez haja uma varanda, com uma cadeira de balanço. Ou um canteiro com belas roseiras, ao longo do caminho. Ele é seu, pertence somente a você.

Quando entrar na casa, verá imediatamente uma sala de estar

bastante confortável, com um sofá muito fofo, aconchegante, cheio de almofadas. De um lado, há uma janela panorâmica – e os raios de sol, radiosamente, filtrando-se através dela. Tudo é bonito nesta sala; ela está decorada com os objetos que você sempre desejou possuir. Tenha certeza de sentir dentro de si cada um desses elementos. Na parede à esquerda há diversas fotografias de várias formas e tamanhos – fotografias dos membros de sua família. Você verá os rostos de todos, aqueles que passaram para o mundo espiritual e aqueles ainda vivos. Retire a foto da pessoa que lhe desperta sofrimento. Traga essa fotografia para a escrivaninha de madeira, no canto da sala. Visualize nitidamente essa escrivaninha. Sobre ela, você executa suas tarefas mais especiais, aquilo que realmente gosta de fazer. Retire um pedaço de pergaminho da gaveta da escrivaninha e uma caneta-tinteiro. Deixe a caneta sobre o papel.

Examinando bem a foto, pergunte a si mesmo: *De que coisas eu quero ser perdoado?* Comece a escrever sua lista. Talvez, você tenha sido rigoroso demais com essa pessoa amada, ou talvez não tenha demonstrado suficientemente seu amor. Talvez, sinta que não correspondeu a ela, quando mais precisou de você. A seguir, pegue outro pedaço de papel e anote tudo de que se arrependeu depois que essa pessoa morreu. Escreva as palavras que não foi capaz de lhe dizer, enquanto ainda estava viva. Talvez, vocês não tenham conseguido chegar a um acordo sobre certas questões, que permaneceram sem solução. Talvez, você ache que poderia ter lhe dado mais amor. Anote cada sentimento que ainda guarda consigo e que até hoje não conseguiu expressar.

Quando concluir ambas as listas, faça um rolinho com elas. A seguir, dirija-se à janela e sinta a brisa perfumada da primavera. Próximo à janela há dois balões brancos. Insira cada lista em um desses balões. Encha os balões, soprando, feche-os e solte-os pela janela. Observe-os dançando livremente ao vento, cada vez mais alto, em direção ao céu. Quanto mais se elevarem, mais você se sentirá tomado por uma sensação de leveza, de liberdade – todos os seus arrependimentos terão ido embora. Os balões continuam subindo, e você sabe que chegarão às mãos do ser amado. Visualize essa pessoa recebendo os balões, lendo o que escreveu. Reserve um momento para olhar, através da janela, para o céu, e veja a mensagem que aquela pessoa lhe enviou: "Não importa. Nada disso importa. Eu sempre amarei você!"

REDESCOBRINDO SEU PODER

O desejo de ser amado é tão poderoso que, muitas vezes na vida, nos tornamos vítimas dessa obsessão. Somos capazes de nos empenhar absurdamente tentando ser a melhor esposa, mãe, pai, filho, empregado, amante ou amigo. Acreditamos que isso é o que devemos fazer para conseguir o amor do outro, em retribuição. Mas, assim, nos descuidamos do que realmente somos. Na maioria das vezes, o fazemos inconscientemente, mas, com o tempo, esse comportamento vai se tornando uma espécie de segunda natureza – um padrão de procedimento que acaba se tornando habitual. Os dias viram anos, e continuamos a viver de acordo com a imagem que criamos para nós mesmos. Podemos até ficar deprimidos, infelizes, ou frustrados em relação à vida. Nossos sonhos estão simplesmente abafados. Nessa altura, já é difícil verificar *por que* e *como* chegamos a isso. Abrimos mão de nosso poder, de uma parte de nós próprios, em função de outra pessoa, e, o mais grave, *deixamos de ser quem somos de verdade.* Abandonamos nosso *eixo*, deixamos de lado nossa parte mais bonita. E, infelizmente, nunca conseguiremos ser realmente felizes se não retomarmos nossas próprias vidas.

Muitas pessoas se sentem destruídas com a morte daqueles a quem amam, e muito desse sofrimento é resultante do fato – bastante freqüente – de terem aberto mão de parte de quem realmente são. Comprometeram sua individualidade, deixaram de ser verdadeiros consigo próprios, por causa do desejo ou da necessidade de agradar o outro. Assim, quando essa pessoa morre, ficam privados de todo o senso de auto-estima, já que sua identidade passou a depender da pessoa agora falecida. Tudo o que sobra é solidão, vazio.

A meditação a seguir deve ser usada para reaver a parte de você que foi perdida, tirada ou abandonada. Use-a para recuperar a força criativa que lhe pertence.

Como sempre, faça as preliminares. Depois, visualize a si próprio diante de um lago tranqüilo, absolutamente sereno. É um lago acolhedor, muito límpido, e reflete toda a miríade de cores da paisagem: verde, azul, amarelo, violeta. Você pode aspirar o perfume refrescante do campo, no ar. Dois cisnes flutuam na superfície do lago, aumentando a serenidade. Quanto mais você contempla esse lago, mais relaxado fica. Você dá uma caminhada até o extremo do lago e vê um riacho descendo das montanhas para dentro do lago. Você sobe a montanha, para localizar a origem do riacho. Quando chega ao topo, encontra uma linda cascata. Olhando para cima, para o céu, descobre que é impossível enxergar de onde cai a água da cascata. Parece que desce diretamente dos céus.

Você se despe e deixa as roupas sobre uma pedra. Caminha por baixo da queda-d'água e sente a água fria, puríssima, acariciar seu corpo. Você nunca sentiu nada parecido com o toque dessa água. É como se fossem penas, roçando em sua pele, e limpando-a totalmente. Olha para o riacho, como se estivesse contemplando um espelho mágico, e vê as diferentes circunstâncias em que abriu mão do poder. Vê as situações em que não foi fiel a si mesmo. E compreende que faltou amar-se mais, tratar-se com respeito. Cada imagem que identifica é levada lentamente pelo riacho montanha abaixo.

Você continua de pé, sob a cascata, e percebe uma luz belíssima atravessando a água. Quando essa luz o toca, você subitamente sente-se inundado por uma onda de energia e de criatividade. Você sente o amor percorrendo o seu corpo. Sente amor por si mesmo, pois é com seu próprio amor que conseguiu recuperar o contato. Cheio de amor e de alegria, você olha outra vez para o espelho d'água e as imagens que vê agora são bem diferentes. Você se vê feliz, fazendo as coisas que sempre quis fazer e que nunca se permitiu. Você vê pessoas aplaudindo, cheias de amor por você. Vê quem você é na verdade. Sinta como ficou mais leve. Sinta sua força e todo o seu potencial, antes perdidos, de volta. Toda a autoconfiança está de novo dentro de você. Está livre da dominação dos outros. Foi uma jornada maravilhosa em busca de seu eu verdadeiro. Usufrua dessa conquista.

Você sai de debaixo da queda-d'água e sente-se alguém inteiramente novo. Esse novo eu lhe traz muita alegria. Ao procurar suas roupas, descobre que elas foram substituídas por um belo traje espiritual. Você o veste para lembrar sempre que é invencível. Você é verdadeiramente DEUS!

Fontes

After We Die, What Then? Answers to Questions About Life After Death, de George W. Meek, publicado nos Estados Unidos por Metascience Corporation, Franklin, Carolina do Norte.

Everyone's Guide to the Hereafter de Ken Akehurst (o médium cego que passou para a Vida Superior em 28 de julho de 1978); transmitido por G.M. Roberts, publicado por Neville Spearman Publishers, C.W. Daniel Company, Essex, Inglaterra.

Kundalini and the Chakras: A Practical Manual – Evolution in This Lifetime, de Genevieve Lewis Paulson, publicado nos Estados Unidos por Llewellyn Publications, St. Paul, Minnesota.

Life in the World Unseen, de Anthony Borgia, publicado nos Estados Unidos por M.A.P., Midway, Utah.

The Mechanics of Mediumship de Ivy Northage, publicado por Ivy Northage, Emsworth, Inglaterra.

Opening Up to Your Psychic Self: A Primer on Psychic Development, de Peter Stevens, publicado nos Estados Unidos por Nevertheless Press, Berkeley, Califórnia.

The Transition Called Death: A Recurring Experience, de Charles Hampton, publicado nos Estados Unidos por Quest Books, Wheaton, Illinois.

Do Dr. Brian Weiss:

Muitas Vidas, Muitos Mestres

O que acontece quando um renomado psiquiatra vem a público para revelar sua experiência com uma paciente que, durante as sessões de hipnose, regride no tempo e vivencia suas vidas passadas?

Muitas Vidas, Muitos Mestres, primeiro livro do autor, conta a surpreendente e controvertida história deste médico – o Dr. Brian Weiss – e seu trabalho com a paciente Catherine, que, apesar de tratada durante 18 meses com a terapia tradicional, só apresenta cura satisfatória ao regredir às suas vidas anteriores.

Só o Amor é Real

Só o Amor é Real descreve o drama da procura de almas gêmeas – duas pessoas que estão marcadas para todo o sempre pelo amor que tiveram em outras encarnações e que percorrem vidas e vidas, sempre buscando uma à outra.

"O destino determina o encontro de almas gêmeas. Mas o que decidimos fazer depois desse encontro depende de livre-arbítrio. Uma opção errada ou uma oportunidade perdida pode resultar em solidão e sofrimento. Escolhas certas podem trazer-nos profunda satisfação e felicidade" – diz o Dr. Weiss.

A Cura Através da Terapia de Vidas Passadas

Relatando casos reais ocorridos em seu consultório, o Dr. Weiss mostra como a terapia de regressão pode curar as dores físicas, o pesar pela perda de pessoas queridas, os relacionamentos conflitivos e os mecanismos nocivos de defesa, ajudando-nos a criar relações amorosas, desbloquear talentos reprimidos e transformar nossa visão da vida e da morte.

Verdadeiro livro de referência sobre o assunto, *A Cura Através da Terapia de Vidas Passadas* apresenta também as técnicas de hipnose, meditação e lembrança de sonhos que o Dr. Weiss ensina a seus pacientes e que qualquer pessoa pode praticar em casa para atingir estados profundos de relaxamento e trazer à mente suas experiências mais remotas.

Meditando com Brian Weiss

A Busca do Equilíbrio, da Cura e da Espiritualidade

"Decidi escrever este livro depois de minha segunda viagem ao Brasil, em 1997. Nesses anos todos de trabalho, pude comprovar os benefícios expressivos da prática regular da meditação e disso tenho tratado em minhas obras. Mas, frente às perguntas e depoimentos de muitos brasileiros, achei que poderia trazer uma contribuição especial tratando especificamente do assunto.

Sei que o ritmo de nossas vidas e a aceleração em que estamos envolvidos nos dão a impressão de que não temos tempo nem capacidade de concentração para meditar. Quero insistir muito afetuosamente: reserve, se possível todos os dias, vinte minutos para a meditação. Você verá que, à medida que persistir e for sentindo os benefícios, esta prática se tornará cada vez mais fácil, até transformar-se numa saudável necessidade, pelo bem-estar que irá lhe proporcionar.

Desejo que a leitura deste livro e a prática da meditação ajudem a lhe proporcionar paz e harmonia, contribuindo para seu crescimento como pessoa e para sua felicidade."

Brian Weiss, M.D.

Inclui CD com os exercícios de
Relaxamento Profundo e Meditação para Cura.

De Carol Bowman:

Crianças e Suas Vidas Passadas

Fascinante e controverso, *Crianças e Suas Vidas Passadas* revela a impressionante ocorrência de lembranças de vidas passadas em crianças. Ele ensina os pais a reconhecerem essas lembranças e as usarem como poderosas ferramentas para entender e ajudar seus filhos.

Carol Bowman escreve: "Quando uma criança fala com tanta certeza e inocência sobre sua vida passada e descreve serenamente o que acontece depois da morte e a viagem de volta a uma nova vida, ela dá testemunho de uma verdade: nossas almas nunca morrem. Essas lembranças constituem talvez a melhor evidência documentada da reencarnação."

De Richard N. Bolles:

Qual a cor do seu pára-quedas?

Como conseguir um emprego e
descobrir a profissão de seus sonhos

"Há sempre empregos esperando para serem ocupados. O caçador de empregos bem-sucedido é aquele que descobre como encontrá-los. Obter êxito na caça ao emprego é algo que se aprende. É uma habilidade que pode ser estudada e dominada. Por você. Este livro destina-se a ensiná-lo esta habilidade."

Ao resumir o segundo capítulo do livro – *Existem Sempre Empregos por Aí* – com esta declaração, Richard Bolles coloca de forma clara e inequívoca, como é bem o seu estilo, o que os leitores podem esperar de *Qual a cor do seu pára-quedas?*, um dos mais perenes e consagrados *best-sellers* do mundo editorial.

Considerado a Bíblia sobre a caça a empregos e "o mais completo guia sobre emprego e carreiras que existe", *Pára-quedas* foi apontado pela Biblioteca do Congresso americano como um dos 25 livros que marcaram a vida dos leitores, ao lado de clássicos da literatura mundial, tendo orientado milhões de pessoas a encontrarem o seu caminho profissional.

Atualizado anualmente, o livro tem acompanhado as grandes transformações no mercado de trabalho, oferecendo respostas às mais importantes questões para quem está à procura de empregos ou buscando trocar de profissão.

De Mitch Albom:

A ÚLTIMA GRANDE LIÇÃO

O sentido da vida

Talvez tenha sido um avô, talvez um professor ou um amigo da família. Uma pessoa mais velha, paciente e sábia, que se interessou por nós e nos compreendeu, quando éramos jovens, inquietos e inseguros. Uma pessoa que nos fez olhar o mundo de uma perspectiva diferente e nos ajudou com seus conselhos a encontrar nossos caminhos.

Para Mitch Albom, essa pessoa foi Morrie Schwartz, seu professor na universidade.

Talvez, como Mitch, você tenha perdido o contato com seu grande amigo. Você seguiu pela vida, as lições foram se apagando e o mundo ficou opaco. Você não gostaria de reencontrar essa pessoa para tratar com ela das grandes questões que ainda lhe causam angústia, tal como fez em sua juventude?

Mitch Albom teve essa oportunidade vinte anos depois de deixar a universidade. Ele redescobriu Morrie nos últimos meses de vida do seu velho professor. Visitou-o durante quatorze terças-feiras, até a sua morte. Nesses encontros, trataram de temas fundamentais para a felicidade e a realização humana. Foi essa a última grande lição: um ensinamento sobre o sentido da vida.

Essas reflexões, transmitidas de forma simples e comovente, transformaram a vida do autor, que quis registrar sua preciosa experiência como uma dádiva de Morrie para o mundo.

De Elisabeth Kübler-Ross:

A Roda da Vida

"Kübler-Ross é uma mulher extraordinária que, como médica, foi pioneira na investigação da morte e do morrer. É com muito entusiasmo que recomendo este livro."

Brian Weiss, M.D.

A fascinante e comovente autobiografia da médica que fez de sua profissão um ato de amor. Elisabeth Kübler-Ross é a mulher que transformou a maneira como o mundo vê a morte, trazendo imenso consolo e esperança para os doentes em estado terminal e para seus entes queridos. Enfrentando atualmente seu próprio fim, ela atesta, com a convicção obtida por toda uma experiência de vida: "a morte não existe".

Neste livro que se lê como um romance, Kübler-Ross exorta-nos a viver plenamente e a amar. Sua história é uma aventura do coração, vigorosa, controvertida, inspiradora, um legado à altura de uma vida extraordinária. Uma leitura interessantíssima e indispensável para alimentar a fé e a esperança no ser humano.

"Sei muito pouco sobre a filosofia da reencarnação. Não foi o tipo de educação que recebi. Mas sei agora que existem mistérios da mente, da psique, do espírito, que não podem ser examinados em microscópios. Com o tempo, saberei mais."

Informações sobre os próximos lançamentos

Para receber informações sobre os próximos lançamentos da Editora Sextante, queira entrar em contato com nossa Central de Atendimento, dando seu nome, endereço e telefone para:

Editora Sextante

Rua Voluntários da Pátria, 45 – Gr. 1404 – Botafogo

22270-000 – Rio de Janeiro – RJ

Tel.: (21) 2286-9944 – Fax: (21) 2286-9244

DDG: 0800-22-6306 (ligação gratuita)

E-mail: atendimento@esextante.com.br

Para saber mais sobre nossos títulos e autores, e enviar seus comentários sobre este livro, visite o nosso site:

www.esextante.com.br